W9-DCM-150

PETER KNOTT

SAVOIR IMITER L'ANCIEN

PATINE, FAUX ET EFFETS DÉCORATIFS

casterman

Publié pour la première fois en anglais par North Light Books - F & W Publications. © 1996 Quarto Inc.

Photographies : Ian Howes, Paul Forrester

Maquette : Roger Daniels

Traduction française : Nathalie Chaput

Imprimé en Chine.

ISBN 2-203-14430-0
Dépôt légal avril 1997; **D. 1997/0053/38**

Table des matières

❖

❖

Le bois

Le métal

Le papier et le cuir

Le plâtre et la pierre

Le verre et la céramique

Le plastique

L'aggloméré

Introduction

❖

Cet ouvrage offre une mine de conseils pratiques à qui veut transformer des objets chinés, anciens ou modernes, en véritables pièces d'antiquité. Divisé en chapitres traitant chacun de matériaux différents (bois, pierre, métal, verre, etc.), il vous introduit aux techniques de la patine grâce à des explications détaillées pas à pas accompagnées d'exemples et de photographies. À l'instar d'un restaurateur professionnel, vous pourrez métamorphoser un objet très ordinaire en une vénérable antiquité.

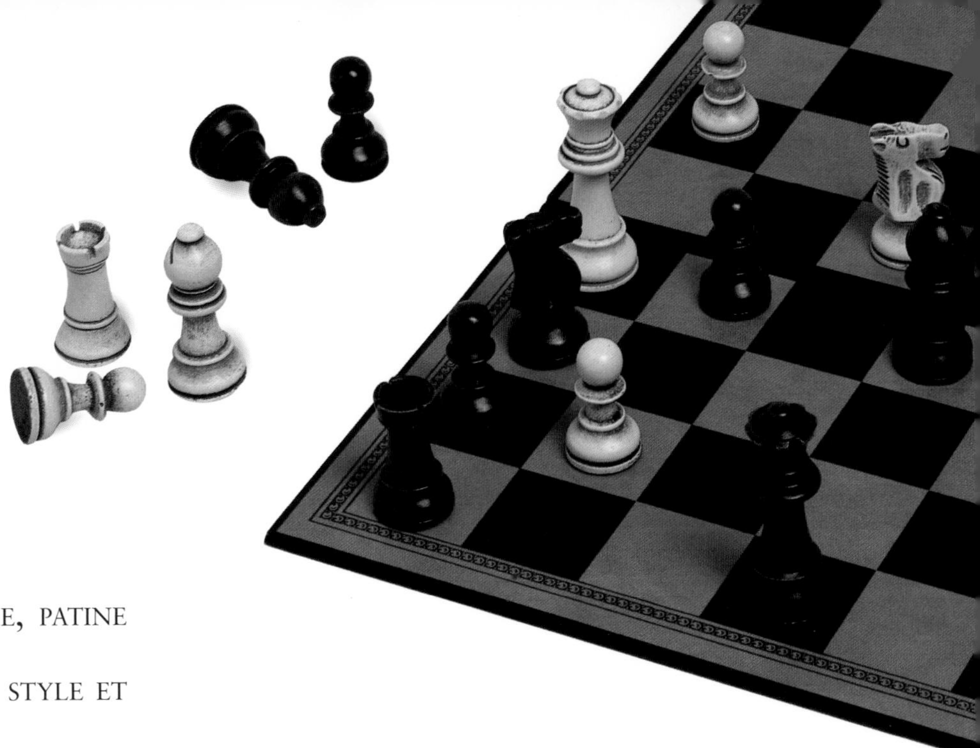

Bientôt vous serez maître en découpage, vert-de-gris, craquelure, patine de métal, créant sans difficulté le style et le caractère d'un âge révolu.

Nous avons utilisé une combinaison d'objets neufs ou trouvés sur une brocante pour illustrer les techniques appropriées à diverses surfaces. Les 40 projets proposés dans ce livre peuvent être facilement adaptés et coordonnés pour correspondre à votre intérieur. N'ayez pas peur d'expérimenter. À chaque fois, il est possible d'être original. Bon travail !

Outils

❖

Pour créer vos fausses antiquités, vous possédez déjà une partie du matériel de base. Cependant, l'achat de certains outils spécialisés est nécessaire. La plupart sont facilement disponibles en grandes surfaces ou auprès de marchands de matériel de bricolage.

Il faut toujours travailler sur une surface propre, plane et conserver les objets qui coupent en dehors de la portée des enfants. Pour un meilleur résultat, utilisez la brosse recommandée pour le type de peinture choisi.
Utilisez un pinceau fin pour un travail précis et une brosse à pochoir pour les pochoirs. Il faut toujours nettoyer les brosses et les outils immédiatement après usage.

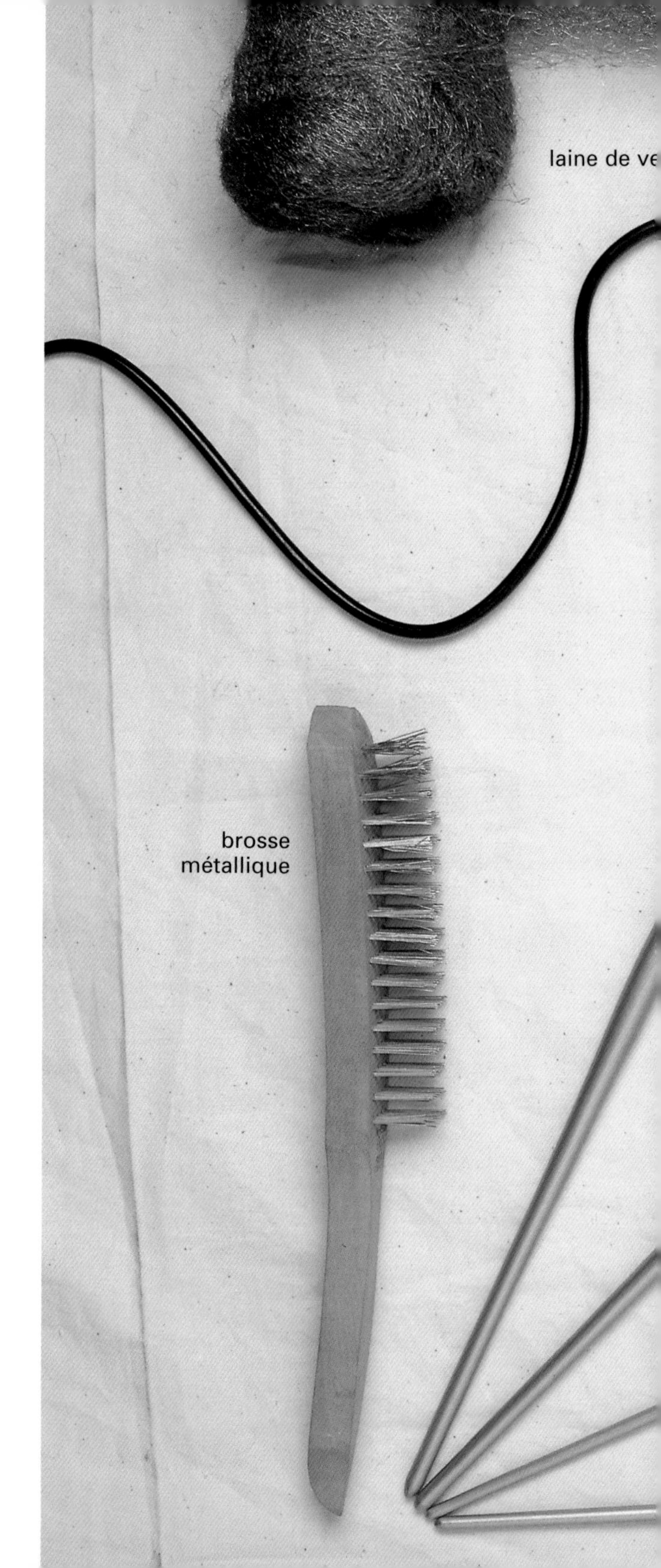

cutter à chaud pour pochoir
papier de sable
cutter
brosse pour peindre
film pour pochoir
pinceaux pour pochoir
pinceaux pour artistes
outil pour travailler
le cuir
brosses à bord plat
brosse à poils doux

MATÉRIEL

❖

Rassemblez le matériel approprié au travail. Un grand nombre de produits disponibles facilement vous permettront d'obtenir le meilleur résultat possible de manière simple et sûre. Utilisez de la peinture de qualité.

Vernissez les objets pour les protéger. Faites cela dans une pièce sans poussière.

La peinture à l'huile peut être utile pour certaines techniques. Bien qu'elle sèche doucement, le résultat en vaut la peine.

La peinture en bombe est bonne pour donner un aspect couvrant. Il faut toujours l'utiliser dans une pièce suffisamment ventilée et placer l'objet dans une boîte en carton pour protéger les environs. Utilisez des sprays non nocifs pour l'environnement.

Soyez prudents lorsque vous utiliserez des produits contenant des solvants et des produits toxiques. Suivez toujours les indications du fabricant et tenez compte des recommandations.

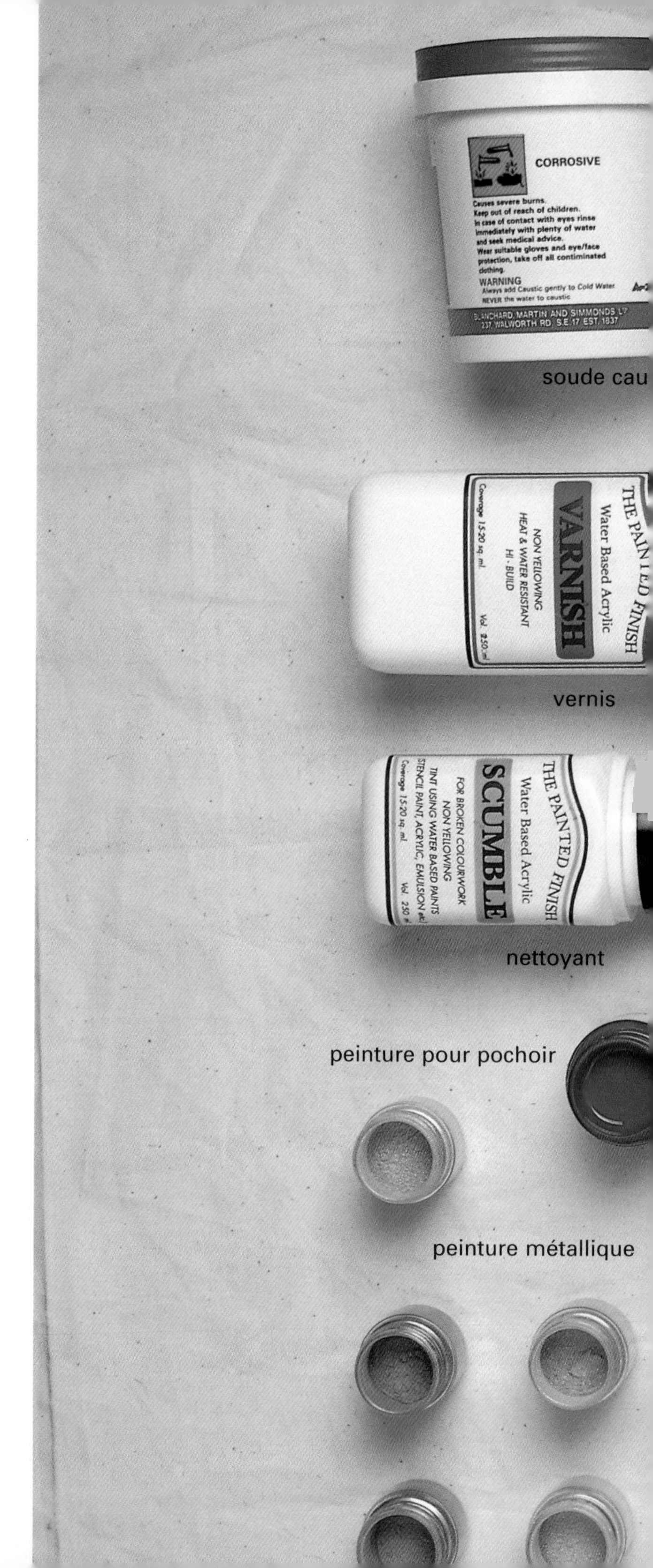

pour les craquelures
peinture à l'huile
vernis pour patine
gomme arabique
peinture en bombe, spray
papiers découpés
mastic
ammoniaque
ol dénaturé
colle
peinture pour céramique
dissolvant
solutions pour patine métal
cire pour meuble
VERNICE SCREPOLANTE PER QUADRI
VERNICE INVECCHIANTE PER QUADRI
Starpax
AMMONIA SOLUTION
SOFTENS WATER – SAVES SOAP
500ml
e 300 ml
LIBERON
TOURMALIN
and Bronze

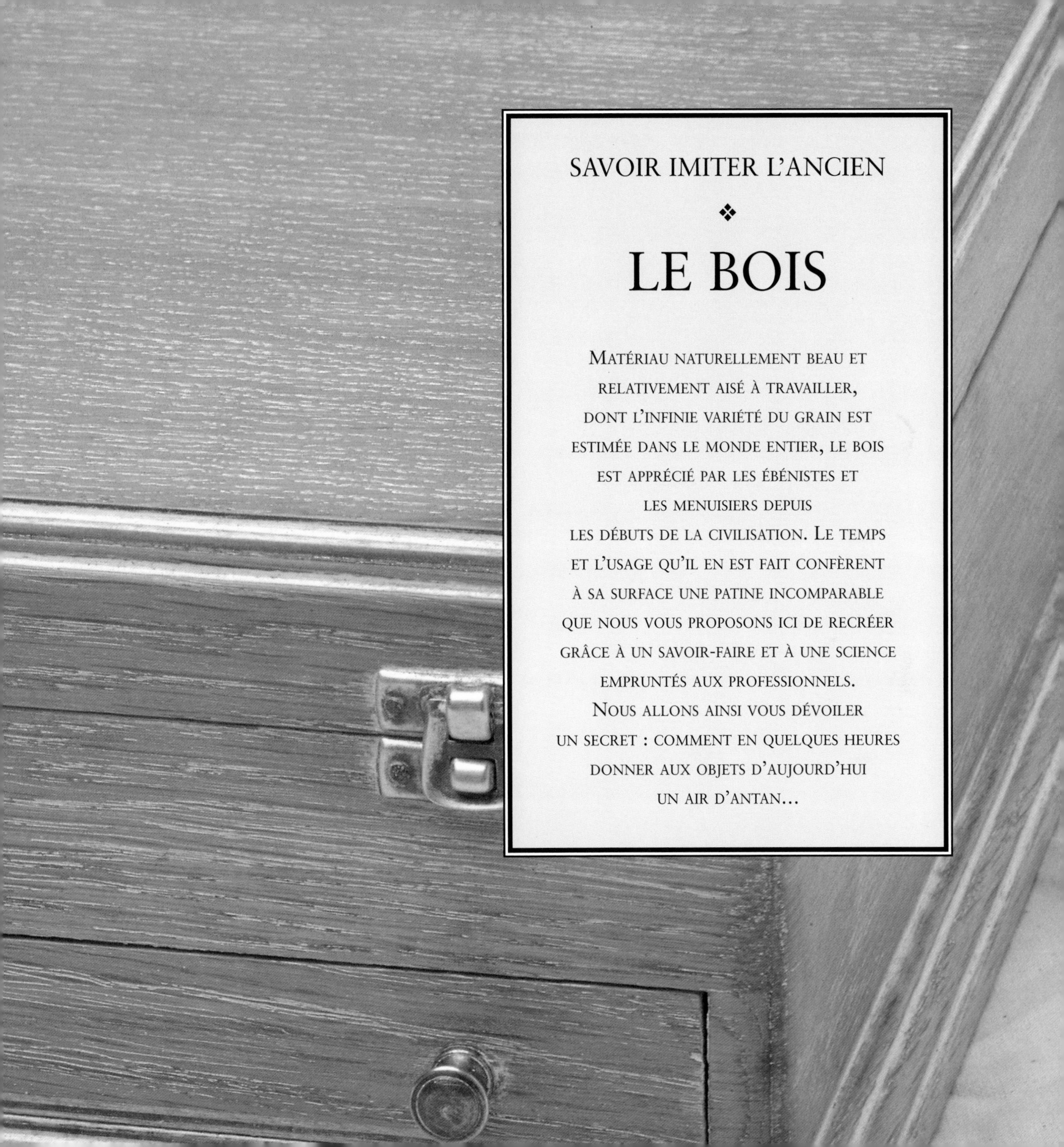

SAVOIR IMITER L'ANCIEN

❖

LE BOIS

Matériau naturellement beau et relativement aisé à travailler, dont l'infinie variété du grain est estimée dans le monde entier, le bois est apprécié par les ébénistes et les menuisiers depuis les débuts de la civilisation. Le temps et l'usage qu'il en est fait confèrent à sa surface une patine incomparable que nous vous proposons ici de recréer grâce à un savoir-faire et à une science empruntés aux professionnels. Nous allons ainsi vous dévoiler un secret : comment en quelques heures donner aux objets d'aujourd'hui un air d'antan...

Commode moderne *vieillie*

Les petits meubles en bois, comme cette commode, sont actuellement très populaires. On les trouve partout et il est facile de les vieillir prématurément à l'aide de quelques produits : teintures, cires et vernis.

IL VOUS FAUT...

- de la teinture au solvant couleur chêne foncé
- un chiffon doux
- du vernis à base d'huile ou d'acrylique
- une brosse à vernir
- du papier de verre
- de la cire teintée pour meubles
- de la peinture à l'huile pour artistes couleur terre d'ombre brûlée
- de la laine d'acier

1 Avec un chiffon, étalez dans le sens du fil du bois la teinture couleur chêne foncé sans enlever ni les boutons ni les poignées du meuble car les marques naturelles d'usure que vous cherchez à imiter apparaissent en ces endroits.

2 Une fois la teinture parfaitement sèche, appliquez au moins une couche de vernis pour protéger le meuble. Poncez légèrement après chaque couche.

3 Puis cirez avec la laine d'acier : plus les couches de cire teintée seront nombreuses et plus la patine sera belle, surtout si vous mélangez un peu de peinture à l'huile couleur terre d'ombre brûlée à la cire.

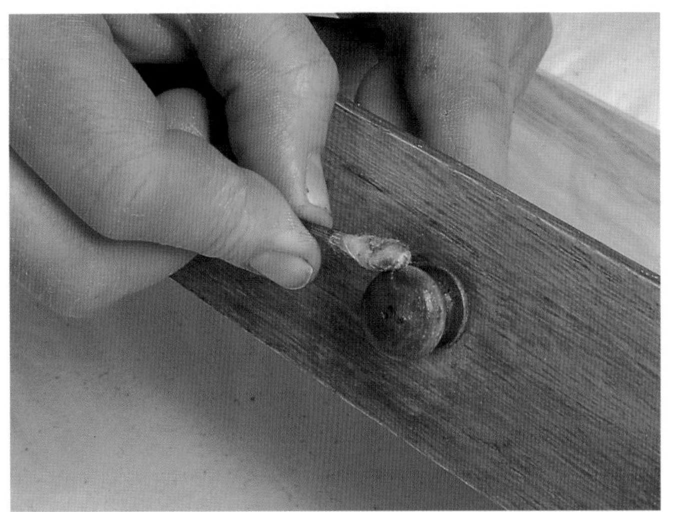

4 Sur les objets originaux, les marques d'usure du bois apparaissent naturellement en certains endroits, autour des poignées par exemple : ajoutez alors un peu de teinture sur les zones appropriées pour les ombrer et faire plus vrai ! Donnez un fini naturel en polissant avec un chiffon doux.

Colonne peinte écaillée

Les nombreuses couches de peinture appliquées au fil des ans s'écaillent en révélant les couches anciennes sous-jacentes. La technique suivante vous permet de faire paraître bien fatigué un meuble récemment acheté. C'est à s'y méprendre !

IL VOUS FAUT...

- de la peinture latex en deux teintes (minimum)
- des pinceaux
- de la vaseline
- de la laine d'acier
- une éponge
- du vernis à base d'huile ou d'acrylique

1 Après avoir poncé la colonne de bois, appliquez une couche de peinture latex bleue avec un pinceau moyen. Vous pouvez aussi passer plusieurs couleurs en même temps.

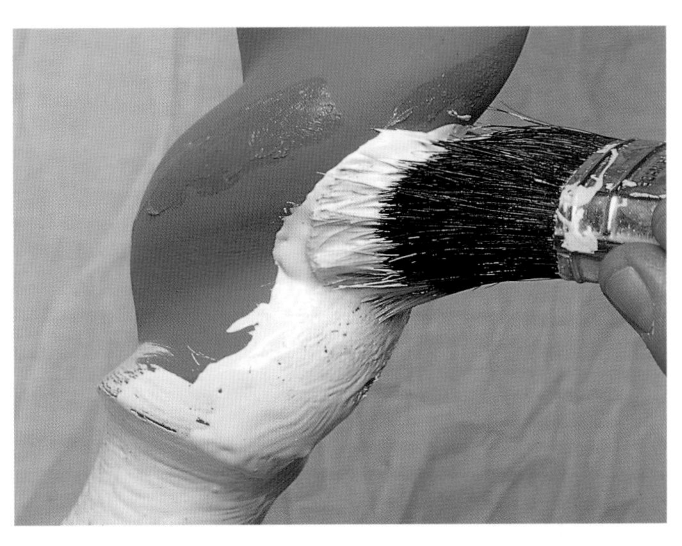

2 Quand la première couche est sèche, déposez un peu de vaseline sur les endroits supposés avoir subi les assauts du temps. Appliquez immédiatement par-dessus une peinture latex d'une autre couleur et continuez ainsi en veillant à ce que les peintures puissent sécher entre deux couches.

3 Après séchage, décapez toute la colonne à l'aide d'une laine d'acier moyenne. La vaseline empêchant les couches de peinture d'adhérer les unes aux autres, il est aisé d'en enlever une fine pellicule comme si la peinture s'était écaillée.

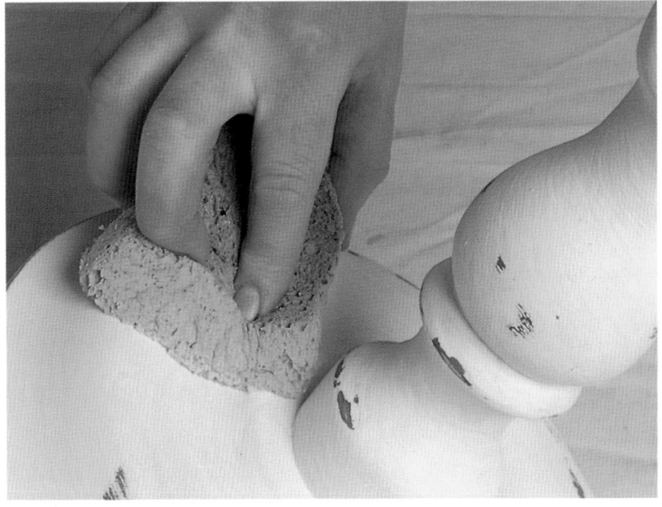

4 Finissez par un lavis fait de peinture latex couleur miel très diluée que vous appliquez avec une éponge ou un pinceau sur toute la colonne : cela imite à la perfection le vernis ancien. Une fois sec, vernissez.

Boîte en bois *décapé*

Autrefois, la plupart des bois durs étaient traités à la chaux : celle-ci avait la propriété de les protéger contre toutes sortes de parasites. Là couleur blanche particulière du grain qui en résultait peut être imitée très facilement avec de la cire décapante. Grâce à cette technique, cette boîte en bois a trouvé un attrait particulier.

IL VOUS FAUT...

- du décapant pour peinture
- un pinceau
- une spatule
- de la laine d'acier
- une brosse métallique douce
- de la cire décapante
- de la cire pour meubles
- un chiffon doux

1 Avec un pinceau, appliquez le décapant. Suivez scrupuleusement les indications du fabricant. Grattez d'abord le gros de l'ancien vernis avec une spatule puis nettoyez parfaitement à la laine d'acier trempée dans le décapant.

2 Creusez les pores tendres et clairs du bois avec une brosse métallique douce : brossez vigoureusement, toujours dans le sens des fibres afin de ne pas rayer la boîte.

3 Avec de la laine d'acier moyenne, passez une couche régulière de cire décapante : faire bien pénétrer dans les veines du bois, et laisser sécher au moins 30 minutes dans un endroit frais.

4 Recouvrez de cire claire passée à la laine d'acier. Travaillez la matière jusqu'à obtention de l'effet désiré. Quand la couche de cire est dure, lustrez avec un chiffon. La patine obtenue est d'un brillant moyen très plaisant.

Cadre de miroir *décoré de staff*

❖

Inspectez votre grenier ou une brocante proche de chez vous, il y a fort à parier que vous ne tarderez pas à y dénicher un objet abîmé que personne ne veut et que vous saurez valoriser à peu de frais. Il suffit de quelques éléments en staff, d'un peu de peinture et le tour est joué ! La technique des glacis, que nous vous proposons ici sur un cadre, convient également aux portes, aux armoires et même aux murs. Les glacis se prêtent à toutes sortes d'effets décoratifs, les couleurs se mélangeant sans peine grâce à des temps de séchage extensibles.

IL VOUS FAUT...

- du papier de verre moyen
- de l'essence minérale
- des éléments en staff
- de la colle PVA
- de l'adhésif transparent
- un chiffon doux
- une planche et un poids
- de la peinture glycérophtalique claire
- des pinceaux et des brosses
- un glacis transparent et un colorant
- un pot en verre
- un vieux chiffon

1 Frottez vigoureusement le cadre avec du papier de verre moyen. Nettoyez-le ensuite avec de l'essence minérale ou un détergent liquide.

2 Laissez sécher, puis collez les éléments en staff (choisissez une colle appropriée). Vous pouvez les maintenir en place avec de l'adhésif transparent jusqu'à ce que cela sèche.

3 Créez un décor personnalisé à l'aide des éléments en staff puis laissez parfaitement sécher. Pour permettre aux éléments d'adhérer au cadre, posez par-dessus une planche et un poids.

4 Appliquez ensuite une couche de peinture glycérophtalique claire. Laissez sécher. Renouvelez l'opération pour un meilleur fini.

5 Le glacis de la couche décorative est généralement transparent. Vous pouvez le teinter à votre convenance. Pour cela, prenez une petite quantité de couleur à l'huile à laquelle vous ajoutez un peu d'essence minérale.

6 Avec un pinceau, ou un bâtonnet, diluez parfaitement pour obtenir une pâte homogène.

7 Ajoutez le glacis à l'huile transparent au colorant ainsi préparé et mélangez soigneusement. Le mélange ne doit pas contenir plus de 15 % de solvant. Vous pouvez également utiliser un glacis acrylique à l'eau.

8 Peignez minutieusement le cadre avec le glacis teinté. Renouvelez l'opération une ou deux fois. Si nécessaire, mélangez les glacis teintés.

9 Quand le glacis est encore frais, enlevez l'excédent avec une brosse que vous essuyez sur un vieux chiffon propre. Tamponnez la surface à la brosse.

10 Essuyez doucement les reliefs avec un chiffon doux pour enlever un peu de glacis et créer ainsi un effet authentique. Laissez sécher avant de recouvrir d'un vernis de protection.

Du pin marqué *par les ans*

Plus que toute autre essence de bois, le pin subit avec bonheur l'outrage des ans. Il se pare d'une douce couleur miel et les marques d'usure l'embellissent en lui conférant un caractère incomparable. Avec un peu de doigté, il est possible de transformer ce tabouret en pin non-traité en un objet patiné à souhait !

IL VOUS FAUT

- un trousseau de clefs ou une lourde chaîne
- des peintures latex en noir et en marron
- une éponge
- du papier de verre
- un chalumeau
- du vernis à base d'huile ou d'acrylique
- un pinceau
- de la cire pour meubles
- de la laine d'acier
- un chiffon doux

1 Frappez le tabouret avec des objets métalliques, trousseau de clefs ou lourde chaîne. Appliquez ensuite un lavis marron sale : vous pouvez utiliser de la peinture latex très diluée ou du thé fort froid. Laissez sécher.

2 Poncez-le avec du papier de verre moyen et faites pénétrer de la peinture noire ou des pigments de couleur noire dans les aspérités pour lui conférer une patine naturelle.

3 Avec un chalumeau, un décapeur thermique ou toute autre source de chaleur, faites légèrement roussir le bois. Frottez ensuite pour enlever les excédents de peinture noire ou les marques de brûlure.

4 Passez une couche de vernis acrylique aqueux. Une fois sec, nourrissez généreusement de cire que vous appliquez à la laine d'acier et laissez durcir dans un endroit frais et sec. Lustrez avec un chiffon doux.

Coffre à jouets *restauré*

Certains meubles se marient si bien avec le décor qu'ils semblent avoir toujours été présents dans la maison. Ce coffre à jouets n'attend que votre savoir-faire pour prendre un coup de jeune ! Les panneaux sont décorés façon cuir tandis que les bandes imitent le fer.

IL VOUS FAUT...

- du papier de verre
- de la peinture latex et un épaississeur
- un assortiment de pinceaux
- une brosse large ou autre outil à texturer
- des chiffons doux
- de la cire pour meubles et de la peinture à l'huile pour artistes
- de la laine d'acier
- de l'essence minérale
- de la peinture couleur argent
- de la peinture latex noire ou un glacis
- du vernis acrylique

1 Poncez les surfaces à traiter. Épaississez la peinture latex avec du blanc ou des charges et peignez à l'aide d'une brosse large (ou tout autre outil à texturer) en effectuant un mouvement ondulant qui laissera quelques traces disposées au hasard. Laissez sécher.

2 Teintez la cire en lui ajoutant un peu de peinture à l'huile et appliquez sur le coffre avec un pinceau ou de la laine d'acier. Un mélange de couleurs proches convient parfaitement : superposez les couches à mesure que la cire durcit.

3 Nettoyez les bandes avec de l'essence minérale avant de leur appliquer une couche de peinture argent. Il se peut que la peinture n'adhère pas correctement et perle. Dans ce cas, nettoyez et peignez de nouveau.

4 Quand la peinture est parfaitement sèche, passez un lavis de peinture latex noire, ou de glacis noir, qui imite parfaitement le fer. Protégez avec un vernis.

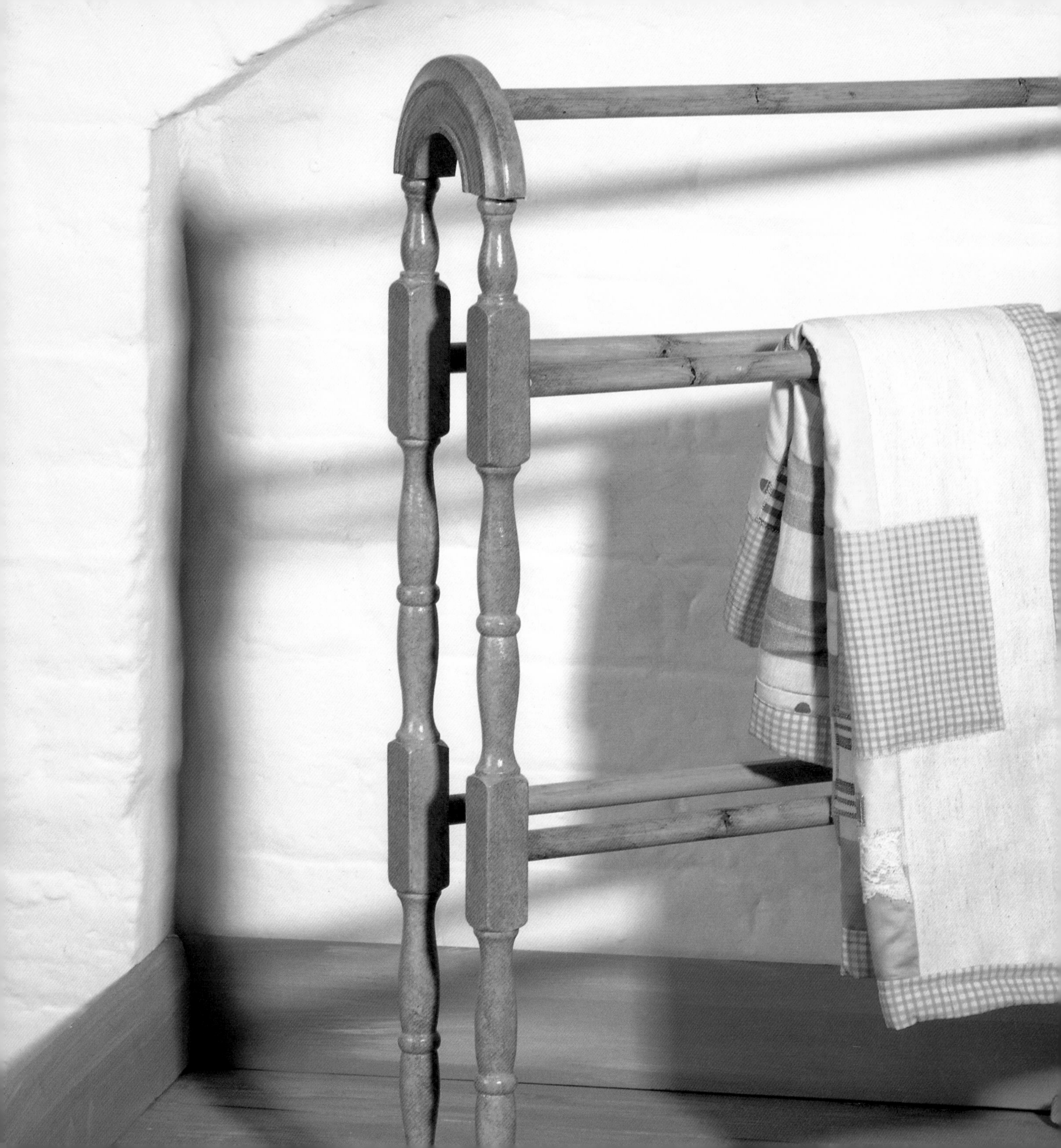

F*aux* bambou

Le bambou, très prisé sous le règne de Victoria en Grande-Bretagne et de Napoléon III en France, revient aujourd'hui à la mode après avoir connu un déclin passager au tournant de ce siècle. Cette reproduction d'un porte-serviettes ancien, avec ses barres en faux bambou, paraît presque authentique. Cette technique peut servir aussi bien à camoufler des conduites disgracieuses qu'à embellir les tiges d'une rampe d'escalier.

IL VOUS FAUT...

- de la peinture latex en noir, en crème et en miel
- du papier de verre
- des pinceaux et des brosses
- une éponge
- du vernis acrylique
- un glacis transparent et des colorants
- un chiffon doux
- du vernis satiné à base d'huile

1 Traitez et poncez le porte-serviettes que vous recouvrez ensuite d'une couche de peinture latex couleur crème.

2 Laissez sécher cette première couche, poncez, essuyez et peignez de nouveau jusqu'à l'obtention du fini souhaité. Laissez sécher. Avec une éponge ou un pinceau, appliquez un lavis de peinture latex couleur miel très diluée.

3 Passez une couche de vernis acrylique pour sceller la surface puis laissez sécher.

4 Au pinceau, appliquez sur chaque barre une couche de glacis marron foncé. Utilisez indifféremment un glacis à base d'acrylique ou de solvant.

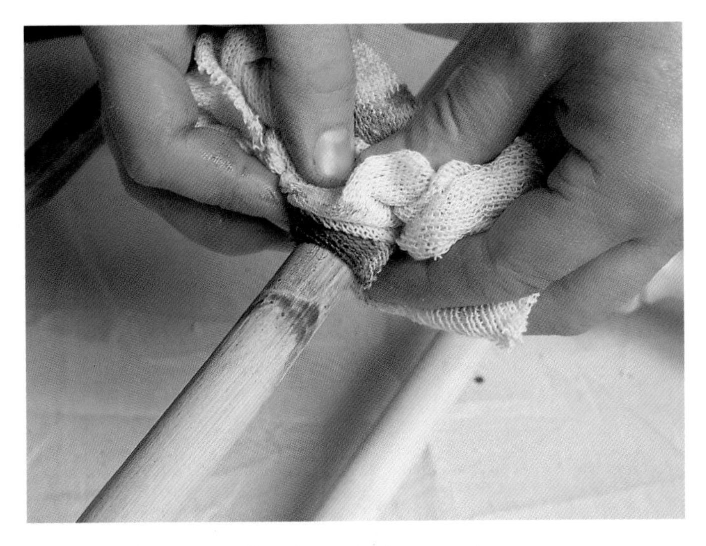

5 Enroulez un chiffon doux de façon à former un tampon que vous faites glisser par endroit sur la barre pour créer des anneaux irréguliers.

6 Si nécessaire, ajoutez une couche de glacis supplémentaire, voire plus.

7 Laissez sécher. Avec un pinceau fin, dessinez des traits noirs pour renforcer l'effet de nœuds proéminents caractéristiques du bambou.

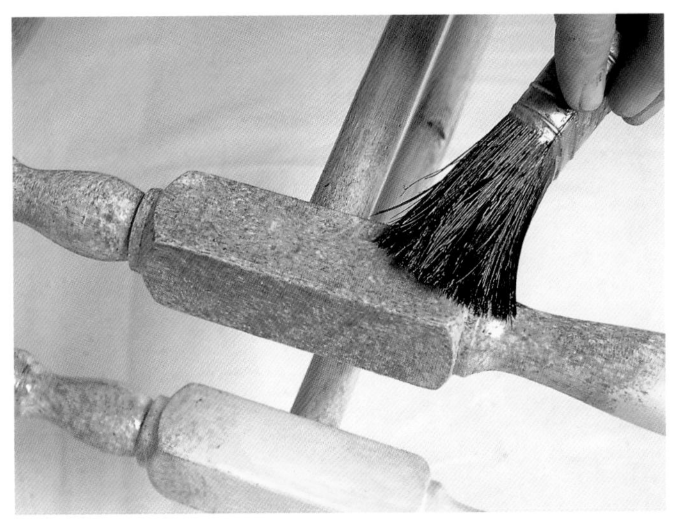

8 Chargez une brosse d'un glacis marron foncé que vous tamponnez sur les pieds du porte-serviettes pour leur donner un aspect moucheté. Quand c'est sec, protégez avec un vernis satiné à base d'huile. Passez au moins deux couches.

Vitrine patinée *à la cire*

On obtient souvent de très beaux effets décoratifs en exploitant les réactions engendrées par le mélange de deux matières apparemment incompatibles. Ainsi, la cire à patiner à base d'essence de térébenthine utilisée en même temps que de la peinture latex à base d'eau permet de révéler naturellement par endroits la sous-couche. Cette vitrine en pin toute neuve se prêtera à merveille à un tel tour de main.

IL VOUS FAUT...

- de la peinture latex en deux teintes opposées
- un assortiment de pinceaux
- de la peinture acrylique à base d'eau couleur or
- de la cire pour meubles
- de la laine d'acier
- un chiffon doux
- de l'essence minérale
- de la pâte à dorer

1 Sur le bois brut, appliquez au moins deux couches de peinture latex blanche. Laissez sécher. Recouvrez d'une couche de couleur qui tranche.

2 Laissez sécher avant de rehausser d'or les moulures. La peinture sèche vite ; vous pouvez alors ajouter d'autres couches de peinture dorée pour conférer un fini métallique à la vitrine.

3 Laissez sécher toute la nuit. Nourrissez ensuite le meuble en passant une fine couche de cire à la laine d'acier. Quand la cire est encore molle, grattez plus ou moins certaines parties.

4 Laissez durcir la cire et polissez de façon à obtenir un lustre qui semble naturel. Nettoyez la vitre avec un chiffon et de l'essence minérale, puis rehaussez les moulures avec un peu de pâte à dorer.

Boîte personnalisée *d'un pochoir*

La technique du pochoir est l'une des plus faciles ; son effet est garanti. Vous pouvez ainsi faire revivre l'objet le plus banal, comme cette boîte en placage brut (toutes sortes d'objets de ce style, sans finition, sont apparus ces dernières années) qui, une fois terminée se métamorphosera en un trésor des plus précieux.

IL VOUS FAUT...

- de la peinture à base d'eau
- des pinceaux
- du papier de verre
- un pochoir
- de la colle en bombe/de l'adhésif de masquage
- des brosses et de la peinture pour pochoir
- une palette de peintre ou une vieille assiette
- du vernis à base d'huile ou d'acrylique

1 Passez au moins deux couches de peinture à base d'eau (latex ou acrylique) sur la boîte à l'état brut. Laissez parfaitement sécher entre les couches avant de frotter la surface au papier de verre si nécessaire.

2 Fixez le pochoir avec de la colle en bombe ou de l'adhésif de masquage. Le pochoir utilisé ici a été découpé à la main mais il existe des motifs prédécoupés, faciles à trouver, qui conviennent parfaitement. Avec la brosse pour pochoir, mélangez la peinture sur la palette et appliquez-la sur le pochoir en tournant ou en tamponnant de façon à bien garnir tous les recoins.

3 Afin d'intensifier la couleur, ajoutez une deuxième voire une troisième couche de peinture. La peinture pour pochoir séchant presque instantanément, exécutez cela d'un mouvement rapide.

4 Détachez délicatement le pochoir. Vous pouvez compléter votre œuvre par des détails peints à la main ou par d'autres motifs à pocher. Appliquez ensuite un vernis de protection.

cresc.
cresc.
dolce.

Boîte à musique craquelée *et partitions*

Même si le phonographe est passé de mode, n'est-il pas dommage de laisser dormir une aussi jolie boîte à musique ? Avec un peu d'imagination et de savoir-faire, elle fera un meuble attrayant aux multiples usages. Son bois de chêne fut autrefois peint ; plutôt que de le décaper, nous avons cherché à lui redonner son lustre d'antan en ajoutant quelques craquelures et des partitions découpées du meilleur effet.

IL VOUS FAUT...

- du papier de verre moyen
- de la peinture à base d'eau en deux teintes
- des pinceaux
- du médium craqueleur acrylique
- du vernis à base d'huile ou d'acrylique
- des feuilles de partitions musicales à découper
- un cutter/des ciseaux
- du thé fort froid
- de la colle PVA

1 Frottez le meuble avec du papier de verre moyen.

2 La surface ainsi polie peut maintenant accueillir aux endroits à craqueler une couche de peinture colorée qui transparaîtra. Utilisez de la peinture latex ou acrylique.

3 Quand la sous-couche est sèche, appliquez le médium acrylique craqueleur. L'épaisseur de cette dernière couche détermine le type de craquelures : faites des essais au préalable.

4 Laissez sécher puis recouvrez d'une dernière couche de peinture latex ou acrylique de couleur tranchée. Appliquez celle-ci en une fois dans le même sens que le médium craqueleur.

5 En séchant, les craquelures apparaissent ; l'effet de vieille peinture écaillée est saisissant de véracité. Néanmoins, si le rendu ne vous semble pas parfait, vernissez puis recommencez.

6 Découpez les partitions : ce sont en réalité des photocopies taille réelle de partitions manuscrites qui ont trempé dans une solution de thé froid fort assez longtemps pour obtenir une belle coloration défraîchie.

7 Collez-les encore humides aux endroits désirés. Débarrassez-vous des bulles d'air sans trop frotter les parties manuscrites, qui sont fragiles.

8 Découpez ce qui dépasse avec soin. Méfiez-vous, le papier encore humide se déchire facilement ! Procédez de façon à couvrir toute la surface. Les feuilles peuvent se chevaucher. Laissez bien sécher.

Dévidoir de cuisine *de style shaker*

Très rapidement, les premiers colons nord-américains ont établi un style de décoration propre influencé à la fois par leurs racines allemandes, néerlandaises et américaines. Le style shaker, par exemple, fait appel à des peintures naturelles à base de chaux, de pigments et de blanc d'œuf. Les objets sont décorés de motifs naïfs ou rustiques, peints à la main ou pochés. Ce dévidoir de cuisine illustre parfaitement ce style d'artisanat populaire.

IL VOUS FAUT...

- du papier de verre
- de la peinture au lait ou pour décoration paysanne (style shaker)
- un pinceau
- un pochoir
- de la colle en bombe/de l'adhésif de masquage
- des brosses et de la peinture pour pochoir
- du vernis à base d'huile ou d'acrylique

1 En premier lieu, poncez la surface laquée du dévidoir, puis délayez les peintures pour décoration paysanne dans de l'eau. Respectez scrupuleusement les indications du fournisseur car ces peintures sont alcalines et peuvent brûler le bois.

2 Appliquez la peinture en la tirant toujours dans le même sens. Elle est très couvrante et sèche rapidement en créant un effet de texture parfait. Renouvelez l'opération autant qu'il est nécessaire.

3 Laissez sécher. Fixez ensuite le pochoir, découpé à la main ou acheté tout prêt, avec la colle en bombe ou l'adhésif de masquage. Utilisez une brosse sèche dans un mouvement circulaire ou en tamponnant légèrement.

4 Comme la peinture pour pochoir sèche presque instantanément, il est possible d'appliquer plusieurs couleurs à la fois en un mélange subtil. Vernissez le dévidoir pour ne pas faire de marques lorsque vous le manipulez.

Cadre doré

Qu'il soit vieux ou neuf, un cadre peut retrouver un éclat digne des fastes d'antan. Il suffit pour cela d'un peu de pâte à dorer. Les feuilles d'or sont en effet chères et exigent de plus un doigté de spécialiste pour leur application.

IL VOUS FAUT...

- de l'adhésif de masquage
- un apprêt à l'oxyde rouge
- un pinceau
- des pâtes à dorer
- un chiffon doux
- de l'essence minérale
- de la laine d'acier
- du vernis protecteur pour dorure (en option)

1 Protégez le verre du cadre avec de l'adhésif de masquage, puis passez une première sous-couche d'apprêt. Si nécessaire, renouvelez l'opération.

2 Appliquez la pâte à dorer avec un chiffon. Utilisez une seule couleur ou un mélange pour un effet subtil. Enlevez les excès de pâte avec un chiffon imbibé d'un peu d'essence minérale.

3 Décollez l'adhésif de masquage et nettoyez délicatement les côtés. À ce stade, le résultat est déjà satisfaisant mais vous pouvez protéger davantage le cadre en passant une couche de vernis pour dorure.

4 Laissez durcir la surface du cadre toute la nuit et vieillissez-la en la frottant doucement à la laine d'acier. L'aspect terne de la sous-couche rouge se marie parfaitement avec la surface dorée.

SAVOIR IMITER L'ANCIEN

❖

LE MÉTAL

La corrosion est un processus naturel lent qui attaque certains métaux et produit des effets décoratifs saisissants, comme le vert-de-gris du bronze ou du cuivre. Il est néanmoins possible d'imiter ces patines naturelles et d'en accélérer le processus par un traitement adéquat des surfaces métalliques récentes qui se prêtent à merveille à des finitions aussi diverses que l'émaillage, le vieillissement ou même le noircissement. Chacune a son style et possède des caractéristiques propres.

Chandelier couvert *de vert-de-gris*

Avec le temps, la plupart des surfaces métalliques s'altèrent sous l'effet de la corrosion. Cette usure est particulièrement attrayante sur le cuivre ou le bronze. Le vieux bronze par exemple se couvre de vert-de-gris, une patine lustrée dont il est facile de reproduire les taches verdâtres. C'est ce que nous vous proposons de faire ici sur ce chandelier flambant neuf, avec quelques peintures et du papier de verre.

IL VOUS FAUT...

- de l'essence minérale
- un chiffon doux
- de la peinture acrylique grise en bombe
- des pinceaux
- de la peinture latex vert pâle
- de l'aquarelle pour artistes couleur vert émeraude
- du papier de verre ou un tampon abrasif quelconque
- de la peinture acrylique terre d'ombre naturelle

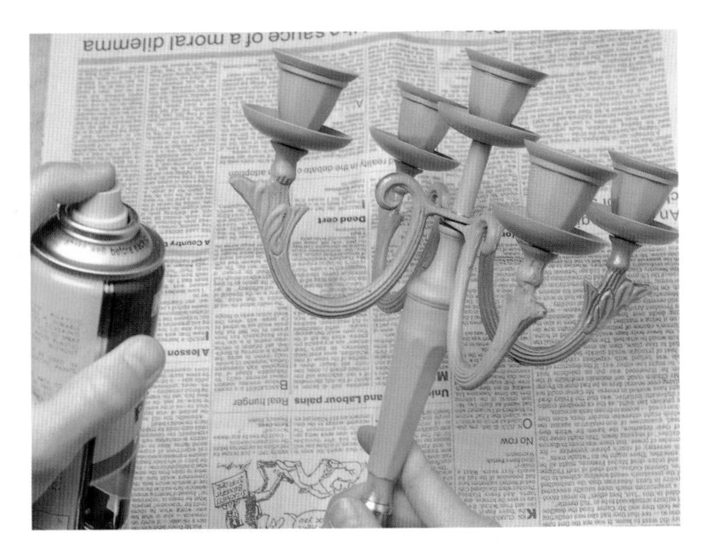

1 Nettoyez le chandelier avec de l'essence minérale, puis vaporisez une fine couche de peinture acrylique grise.

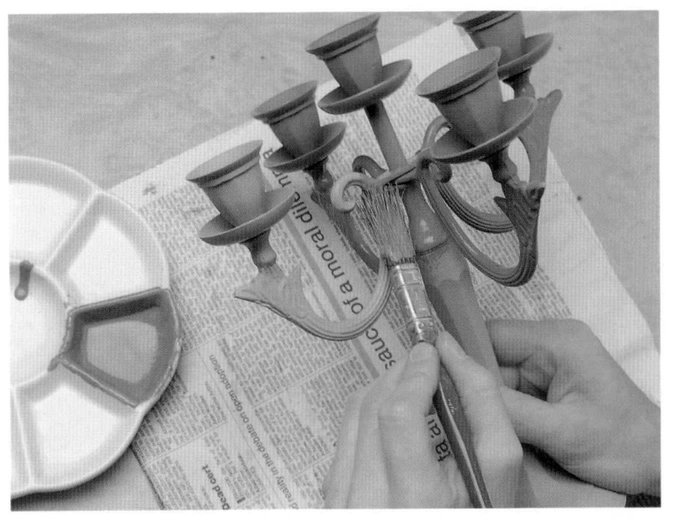

2 Afin d'obtenir un vert-de-gris turquoise, mélangez la peinture latex vert pâle avec l'aquarelle vert émeraude et appliquez le mélange sur la sous-couche grise de façon à créer des taches plus ou moins foncées.

3 Quand c'est sec, poncez légèrement. Frottez jusqu'à faire apparaître la sous-couche grise en certains endroits et même le bronze sur les parties les plus fréquemment touchées.

4 Pour finir, passez un lavis très dilué de peinture acrylique terre d'ombre naturelle. En se déposant dans les creux, il atténue l'éclat du neuf de la peinture verte.

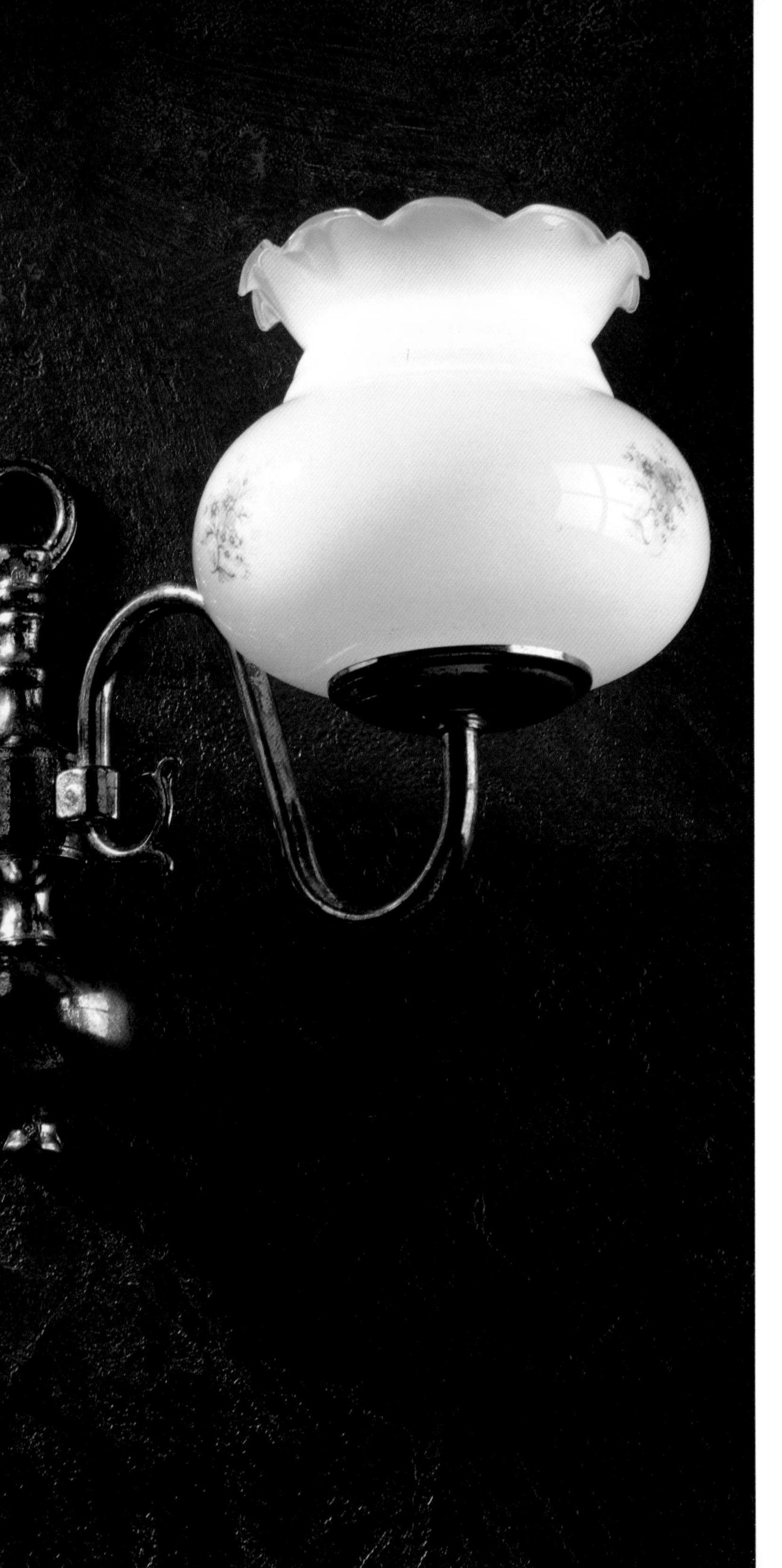

Applique murale *dorée*

La lustrerie offre de nos jours des articles parfaitement adaptés à nos intérieurs mais dont les matériaux bon marché laissent parfois à désirer. Cette applique dorée en est un bon exemple : autrefois, elle aurait été en cuivre et il aurait fallu la polir régulièrement pour lui garder son lustre. Mais ici sa fine couche de finition laquée, peu résistante, va rapidement se ternir. Il est possible de tirer profit de cet inconvénient et d'obtenir un objet qui semble patiné par les ans. Cette technique de ternissement peut également s'appliquer sur les poignées et les boutons de portes, ou tout autre élément de décoration intérieur.

IL VOUS FAUT...

- du décapant pour peinture/ de la soude caustique
- des chiffons
- de l'essence minérale
- de la tourmaline ou une solution à patiner le métal
- du coton
- de l'huile de jade

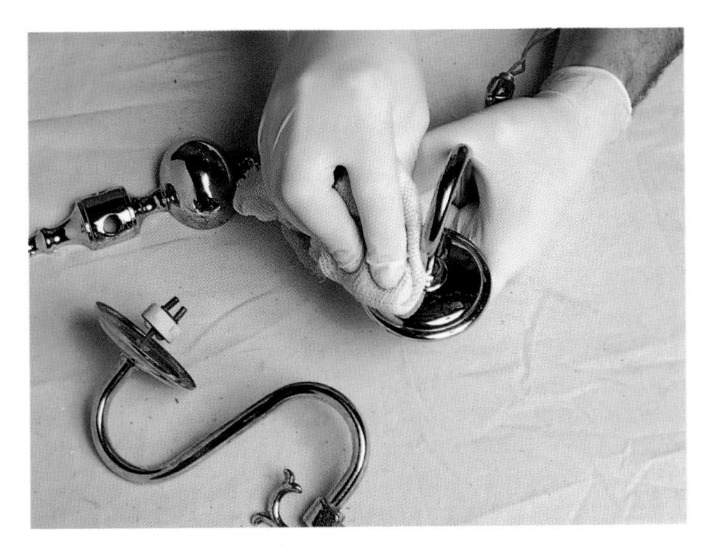

1 Décapez la couche de laque et de dorure avec un décapant à peinture vendu dans le commerce ou en plongeant l'applique dans un bain de soude caustique. N'oubliez pas d'enlever au préalable le fil électrique. Nettoyez ensuite avec de l'essence minérale.

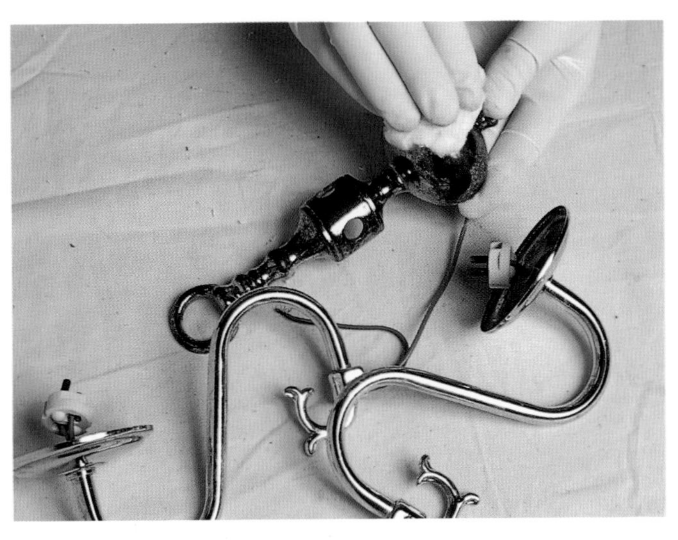

2 Tamponnez doucement l'applique avec du coton imbibé de tourmaline ou de solution à patiner le métal.

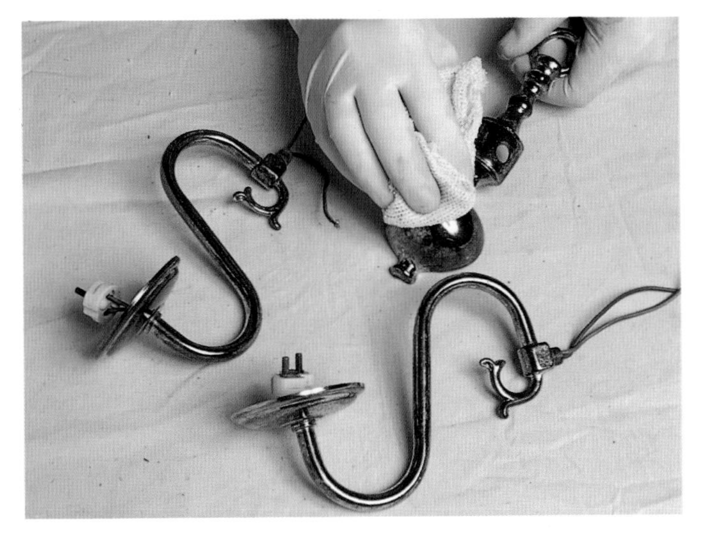

3 Le patinage est un processus très rapide. Pour l'arrêter, il suffit ici de nettoyer l'applique avec un chiffon humide.

4 Pour empêcher toute décoloration ultérieure, frottez la surface ainsi traitée avec un peu d'huile de jade. Une fois sec, l'objet aura acquis un fini résistant et durable.

Restauration à l'anglaise

Dans l'Angleterre de la Belle Époque, c'est-à-dire sous le règne d'Édouard VII, ce type de cheminée était courant. Il réapparaît aujourd'hui chez nos amis anglais, avec force et élégance. Il suffit d'un bon décapant et d'une finition noire pour qu'il retrouve son lustre du début du siècle.

IL VOUS FAUT...

- du décapant pour peinture
- de la laine d'acier
- des gants en caoutchouc
- de l'essence minérale
- de la peinture résistant à des températures élevées d'un noir mat
- un chiffon doux
- du graphite

1 Décapez l'ancienne peinture (pensez à protéger vos mains avec des gants de caoutchouc). Passez autant de couches de décapant que nécessaire et insistez sur les reliefs avec la laine d'acier.

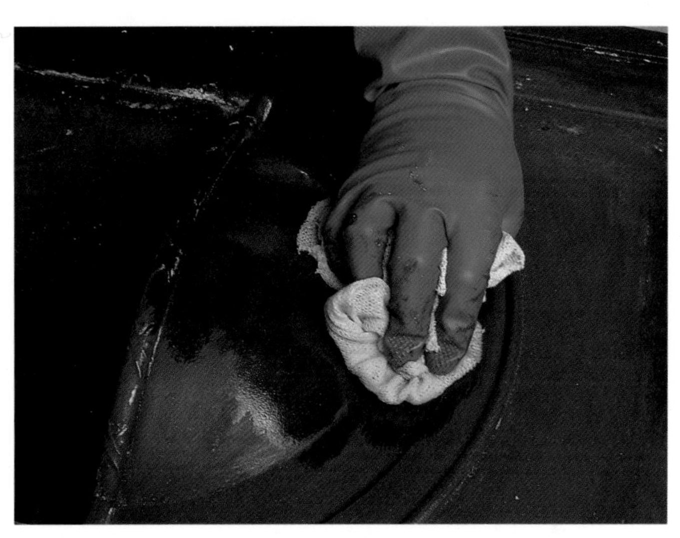

2 Dégraissez ensuite soigneusement avec de l'essence minérale et de la laine de verre.

3 Appliquez une couche de peinture noir mat résistant à de hautes températures. Laissez sécher.

4 Avec un chiffon doux, enduisez d'une couche de graphite. Lustrez.

Arrosoir décoré *à l'ancienne*

Le découpage était une technique très en vogue durant l'ère victorienne. Les Anglais découpaient à l'envi toutes sortes d'images de papier qu'ils collaient sur les objets à leur portée pour créer de fabuleux décors en trois dimensions. Pour cet arrosoir, nous avons choisi la simplicité : nous avons découpé ces animaux de ferme stylisés dans une frise de papier peint, puis nous les avons collés et recouverts d'un mélange de vernis à base d'eau et d'huile afin d'obtenir ces merveilleuses craquelures, signes du temps qui passe.

IL VOUS FAUT...

- un apprêt pour le métal
- des pinceaux
- du papier de verre
- de la peinture latex de couleur
- du vernis à base d'huile et d'acrylique
- des images découpées et des ciseaux
- de la colle PVA diluée
- une éponge
- du vernis à patiner à base d'huile et de la gomme arabique à base d'eau
- du détergent
- de la pâte à dorer ou de la peinture à base d'huile
- de l'essence minérale

1 Enduisez la surface galvanisée de l'arrosoir d'un apprêt approprié. Laissez bien sécher puis poncez.

2 Passez une couche de peinture latex vert foncé. Laissez sécher. Pour un meilleur rendu, appliquez une ou deux couches supplémentaires. Vous pouvez aussi utiliser de la peinture acrylique ou de la peinture glycérophtalique.

3 Passez une couche de vernis à base d'huile ou d'acrylique. La peinture glycérophtalique ne réclame aucun vernis mais elle est plus longue à sécher.

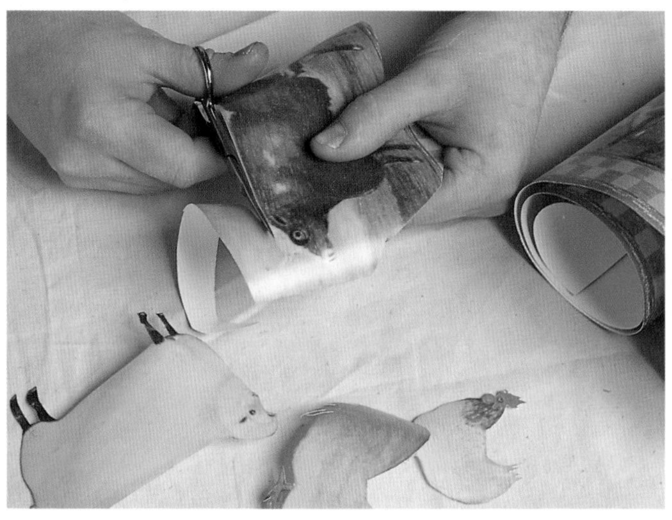

4 Découpez les images dans du papier d'emballage, des frises ou des livres de découpage, par exemple. Servez-vous de ciseaux bien aiguisés.

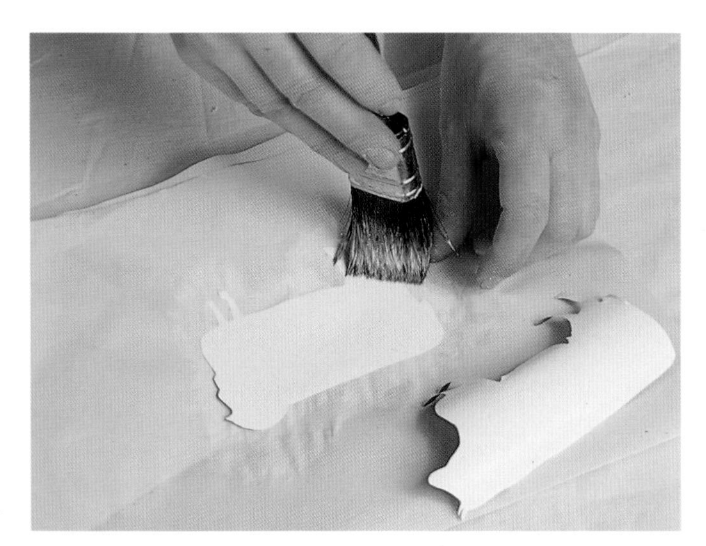

5 Faites tremper quelques minutes les images choisies dans de la colle diluée dans de l'eau. La colle PVA (vinylique) convient parfaitement car elle devient transparente en séchant.

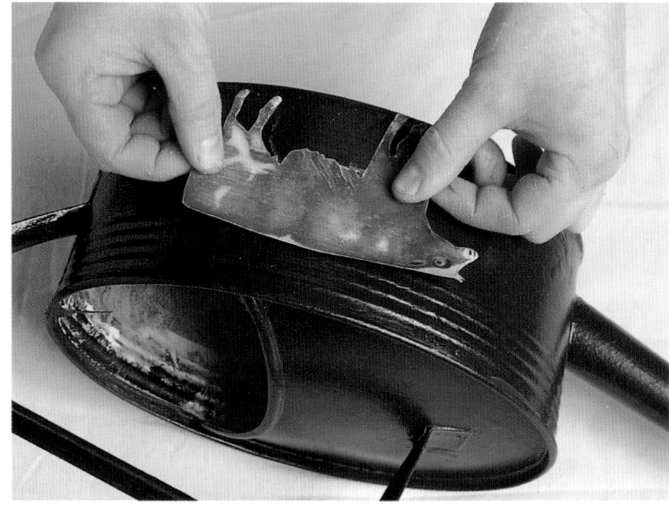

6 Enduisez-les d'une autre couche de colle avant de les mettre en place sur l'arrosoir. Lissez avec une éponge humide pour vous débarrasser des éventuelles bulles d'air.

7 Laissez sécher, puis passez une couche de vernis à base d'huile ou d'acrylique. Quand c'est sec, appliquez une couche homogène de vernis à patiner à base d'huile.

8 Quand la surface est presque sèche mais encore collante, passez une couche de gomme arabique à base d'eau. Si les images ne tiennent pas, recommencez en mélangeant une petite quantité de gomme arabique avec du détergent. La formation des craquelures est due aux temps de séchage différents des diverses couches.

9 Laissez sécher, puis passez une couche de peinture à base d'huile en frottant. Pour obtenir des craquelures dorées, cirez avec un peu de pâte à dorer. Enlevez le surplus de peinture à l'huile avec de l'essence minérale.

10 Quand la couche de peinture à base d'huile est parfaitement sèche, utilisez un vernis à base d'huile ; il confère à l'objet vernis un aspect antique très naturel.

*Caf*etière en tôle *peinte*

Les objets en tôle peints à la main sont légion : du bateau à la cafetière, ils ont un côté traditionnel et bon enfant qu'il est facile de reproduire en peu de temps. Apposez votre marque sur vos objets préférés en décalquant un motif ou en dessinant directement sur la tôle.

IL VOUS FAUT...

- des motifs à reproduire
- un crayon-feutre à pointe souple effaçable
- des peintures céramique à froid ou émail en plusieurs couleurs
- des pinceaux
- une palette de peintre ou une vieille assiette

1 Les motifs à reproduire sont nombreux. Inspirez-vous de dessins traditionnels simples, que vous décalquez ou tracez à l'aide d'un crayon-feutre effaçable.

2 Pour les couleurs du fond, faites des essais en les mélangeant sur la palette, puis chargez lourdement le pinceau et appliquez la peinture en grandes touches régulières.

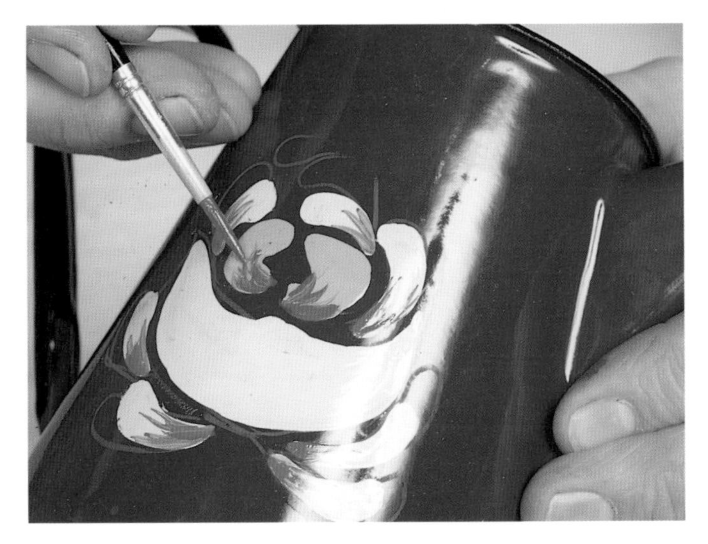

3 Alors que la peinture est encore fraîche, dessinez les détails et laissez les couleurs fusionner de façon naturelle pour donner de la profondeur au motif.

4 Vous pouvez garnir la base de la cafetière d'un dessin répétitif, obtenu par exemple au moyen d'un pochoir.

Seau à charbon du temps *passé*

❖

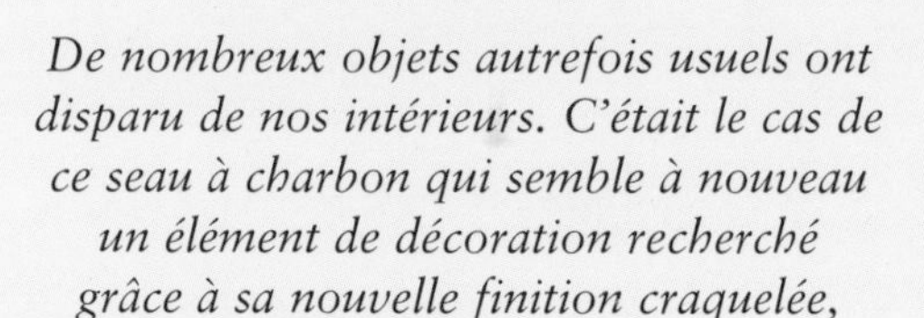

De nombreux objets autrefois usuels ont disparu de nos intérieurs. C'était le cas de ce seau à charbon qui semble à nouveau un élément de décoration recherché grâce à sa nouvelle finition craquelée, qui vous fera… craquer !

❖

IL VOUS FAUT…

- du papier de verre
- des peintures à base d'eau en plusieurs couleurs
- des pinceaux
- du médium à craqueler acrylique
- du vernis à base d'huile ou d'acrylique
- de la cire pour meubles et du colorant

1 Nettoyez parfaitement l'objet : poncez-le et appliquez une sous-couche.

2 Déposez ensuite plusieurs touches de couleur au hasard (ou une seule couleur étalée uniformément) : cette couche transparaîtra plus tard sous les craquelures.

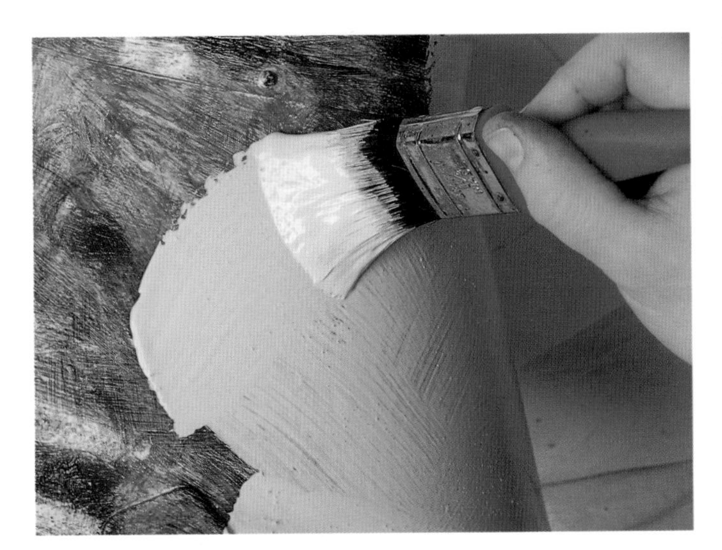

3 Laissez sécher puis appliquez une couche de médium à craqueler acrylique. Superposez-lui une couche épaisse de peinture latex ou acrylique, préférable dans ce cas à plusieurs couches minces qui empêcheraient la peinture de se craqueler.

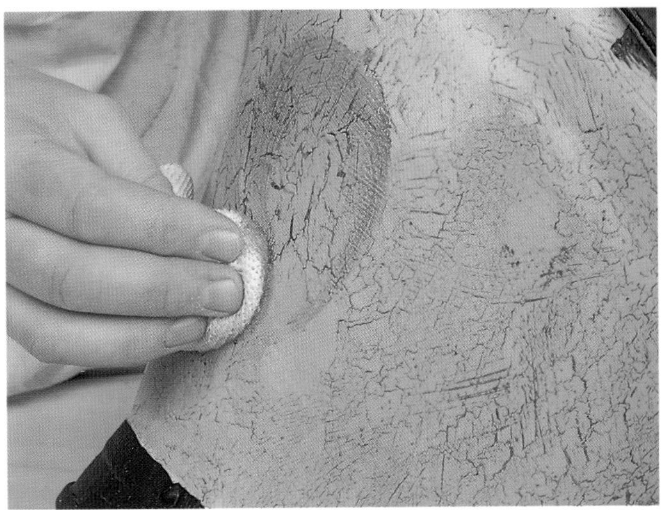

4 Quand l'aspect craquelé vous satisfait, vernissez ou cirez légèrement l'objet pour lui donner une douce patine. Faites ressortir les bords et l'intérieur du seau en les peignant avec une couleur assortie. Vous pouvez également ajouter quelques motifs décoratifs.

Manteau de cheminée *1930*

Une cheminée devient souvent l'attrait principal d'une pièce par ailleurs ordinaire. On peut alors s'inspirer de son style pour donner du caractère à l'ensemble du lieu. Ce manteau de cheminée, très 1930, était à l'origine émaillé. Il est ici recouvert de peinture métallique de finition martelée et légèrement dorée. Toutes sortes de surfaces se prêtent à ce genre de technique ; son effet est particulièrement réussi sur les vieux radiateurs en fonte.

IL VOUS FAUT...

- une spatule
- du papier de verre
- de la peinture métallique en deux couleurs au minimum
- des pinceaux
- de la peinture dorée à base d'huile
- de la peinture glycérophtalique noir mat

1 Raclez d'abord la couche de peinture ancienne au moyen d'une spatule, puis poncez soigneusement avec du papier de verre.

2 Appliquez ensuite grossièrement les peintures métalliques : mélangez les couleurs en les tamponnant.

3 Alors que la finition martelée est encore fraîche, tamponnez par-dessus une petite quantité de peinture dorée à base d'huile. Mélangez pour obtenir l'effet souhaité.

4 Avant que la surface soit complètement sèche, projetez un peu de peinture glycérophtalique noire en faisant rebondir le pinceau chargé sur un objet tenu fermement. En séchant, l'aspect final imite l'émail à s'y méprendre.

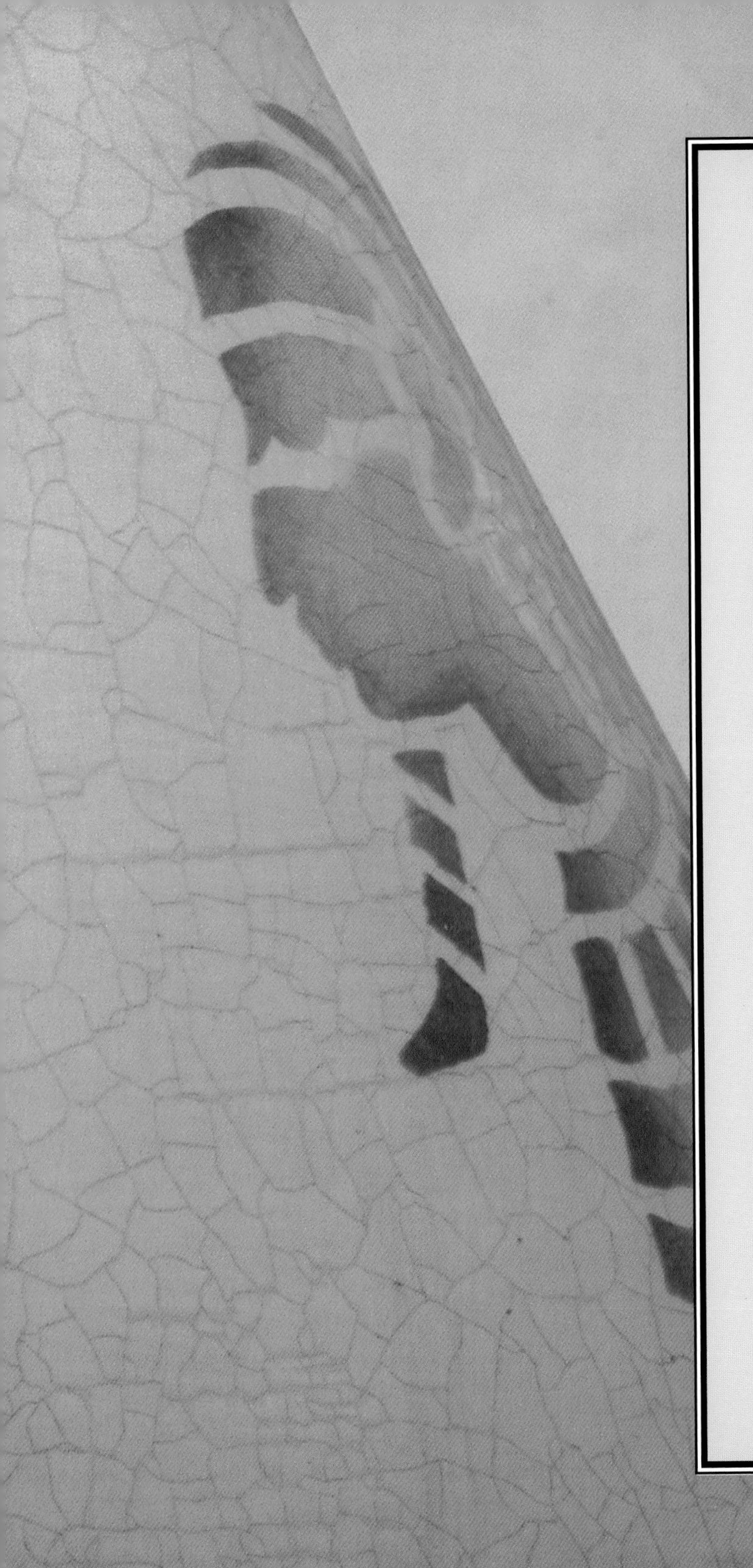

SAVOIR IMITER L'ANCIEN

❖

LE PAPIER ET LE CUIR

Des milliers d'objets usuels sont en papier. Ils ne sont pas à l'abri de l'épreuve du temps ; la lumière fait passer leur couleur, les manipulations répétées finissent par les abîmer. L'usure transfòrme également le cuir, mais c'est un des rares matériaux à s'en trouver amélioré. Il existe des techniques simples et efficaces capables de recréer artificiellement le travail des ans.

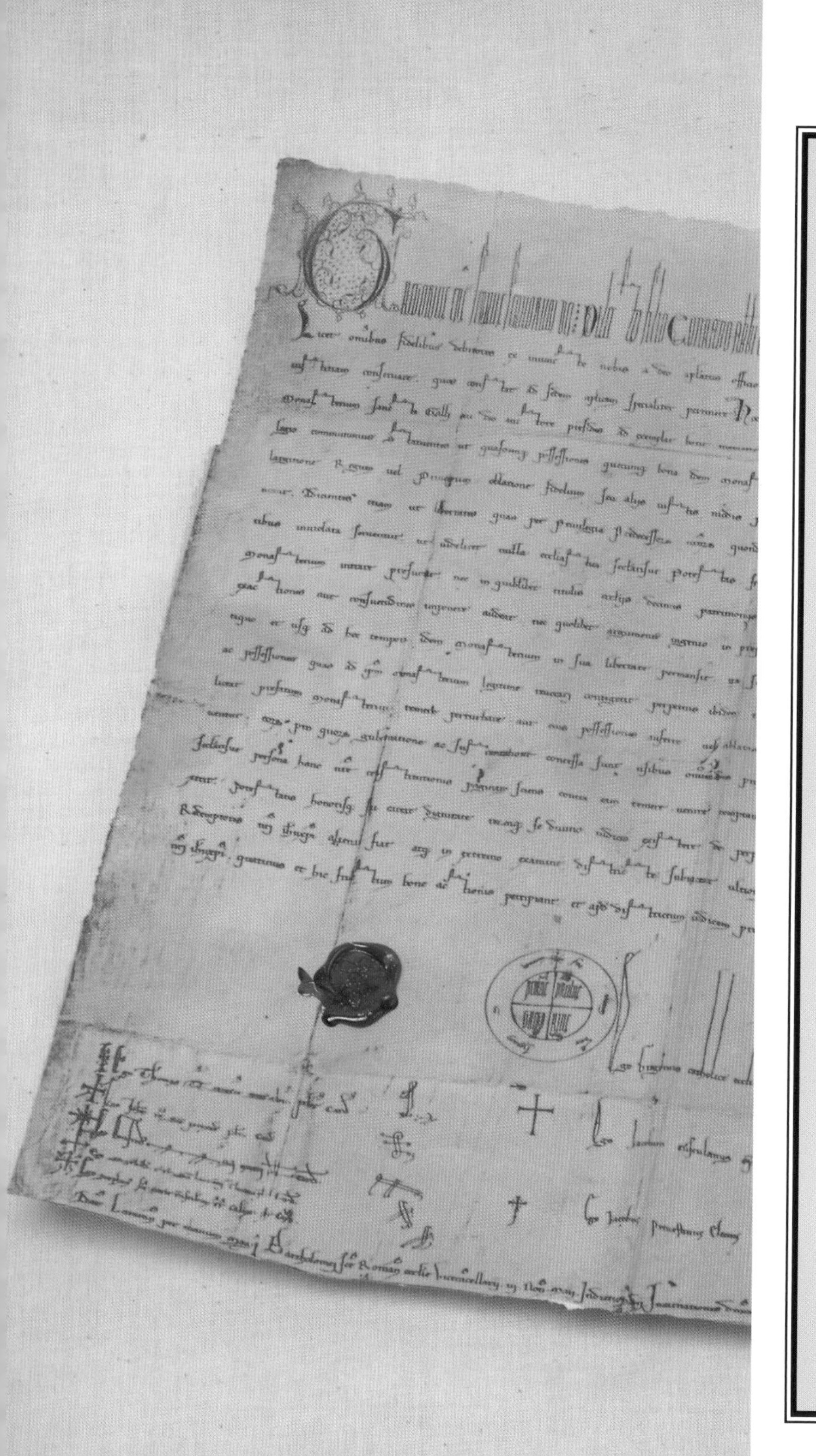

Manuscrit d'époque

Les cartes anciennes, les vieilles illustrations et les manuscrits d'époque peuvent constituer de fascinants décors pour vos murs. Les manuscrits authentiques sont en réalité non seulement très rares mais surtout d'inestimable valeur. Certaines bibliothèques acceptent cependant d'en faire des photocopies. Celles-ci sont généralement en noir et blanc avec des effets grisâtres. Nous avons choisi ici un texte en noir et blanc écrit en latin sur du papier blanc (des photocopies en couleur sur papier coloré peuvent également convenir).

IL VOUS FAUT...

- une photocopie de l'original
- du thé fort froid
- de la cire à cacheter
- un sceau

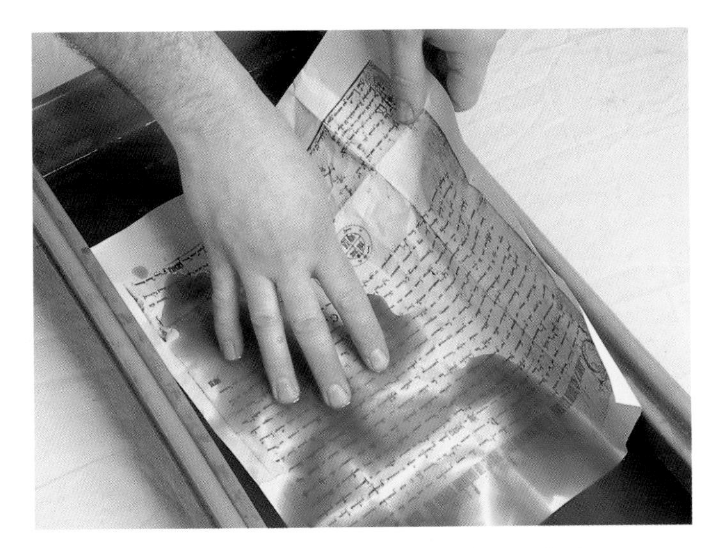

1 Pliez et froissez la photocopie, puis plongez-la dans un bain de thé fort froid afin de lui donner une teinte sépia naturelle.

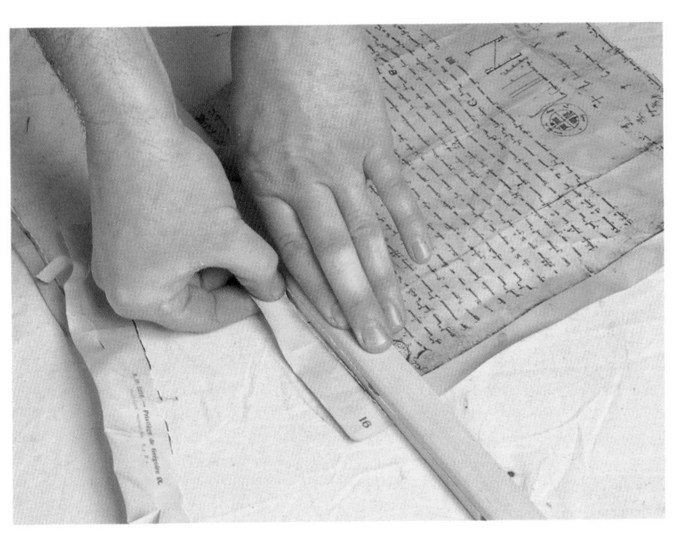

2 Rincez le papier. Laissez sécher. Rognez les bords : pour cela, n'utilisez pas les ciseaux mais déchirez plutôt le papier en vous aidant d'un outil rigide.

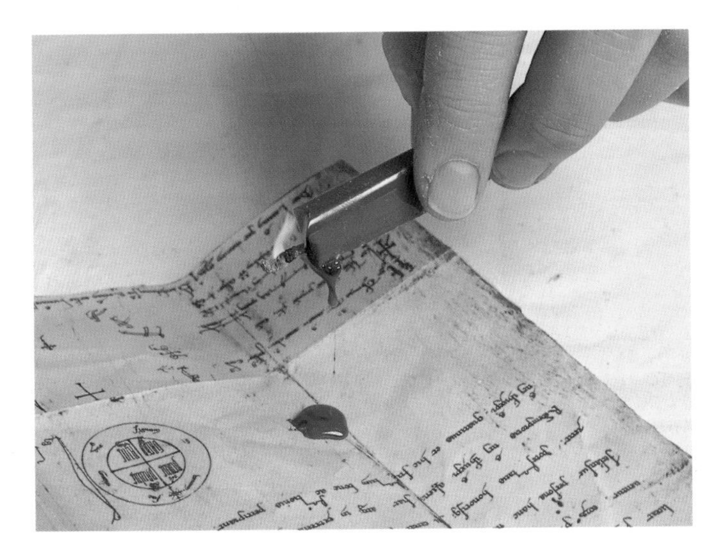

3 Faites tomber quelques gouttes de cire à cacheter sur le parchemin. Attention, la cire peut brûler le papier !

4 En gage d'authenticité, apposez le sceau, à vos initiales ou aux armoiries de votre famille par exemple, dans la cire encore fraîche !

Abat-jour suranné

Il est parfois difficile de trouver un bel abat-jour assorti au pied de sa lampe et à son intérieur. Celui-ci a été acheté dans le commerce puis personnalisé. Il ressemble aux abat-jour des années 30, époque où la fascination envers l'Égypte antique et ses pharaons étaient à son comble.

IL VOUS FAUT...

- du vernis acrylique
- des pinceaux
- du papier à gabarit
- du film polyester
- un pochoir
- un crayon-feutre à pointe fine indélébile
- une plaque de verre
- une pointe à graver de pyrograveur ou un cutter
- de la colle en bombe
- de l'adhésif de masquage
- de la peinture pour pochoir
- des brosses pour pochoir
- une palette de peintre ou une vieille assiette
- du médium à craqueler à base d'eau
- de la peinture à l'huile pour artistes
- de l'essence minérale
- un chiffon doux

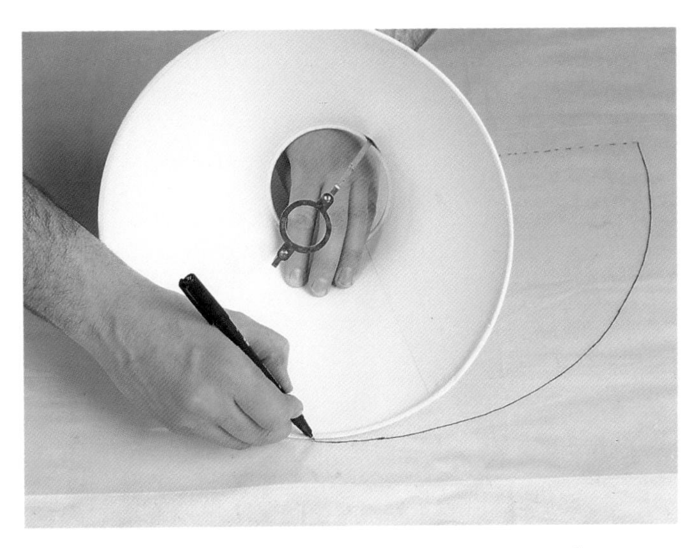

1 Scellez l'abat-jour avec du vernis acrylique. Appliquez plusieurs couches en laissant sécher entre chaque application. Tracez ensuite le gabarit soit directement sur le film polyester soit sur le papier en faisant rouler l'abat-jour et en indiquant les bords supérieur et inférieur.

2 Choisissez un motif égyptien. Si nécessaire, changez sa taille au moyen d'une photocopieuse, puis reportez-le sur le film polyester avec un feutre à pointe fine indélébile.

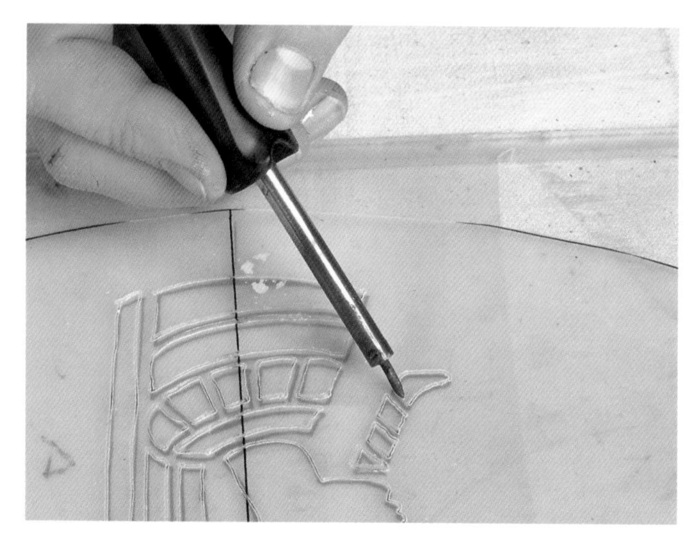

3 Placez le motif sous une plaque de verre et alignez le gabarit du pochoir par-dessus. Pour le découper, utilisez maintenant une pointe à graver ou un cutter.

4 Enroulez le pochoir sur l'abat-jour et maintenez-le avec de la colle en bombe et de l'adhésif de masquage. Vérifiez que la couture soit bien à l'arrière.

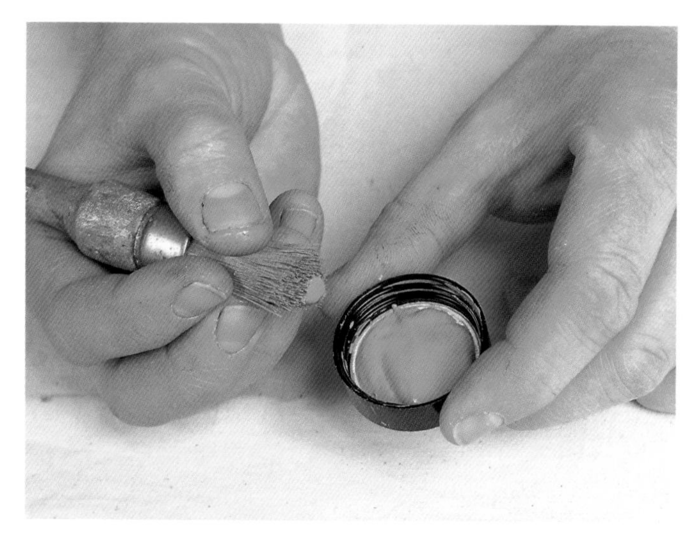

5 Sur la palette (ou dans une vieille assiette), travaillez parfaitement la peinture pour pochoir avec la brosse. N'utilisez que de petites quantités à la fois.

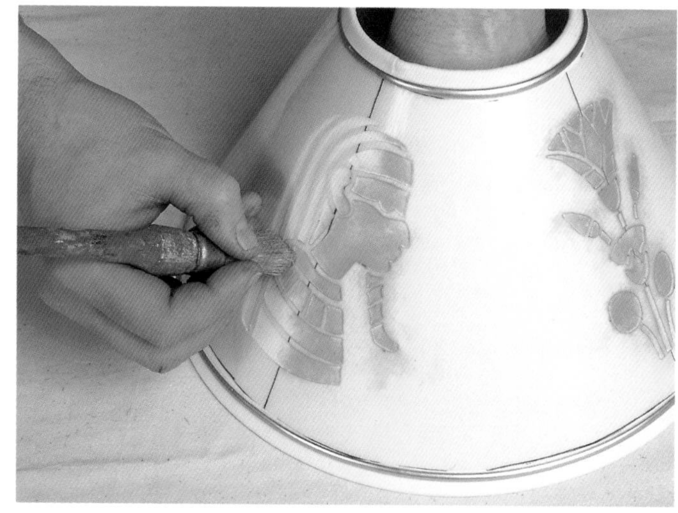

6 Appliquez la couleur d'un mouvement circulaire ou en tamponnant. La peinture sèche vite ; le motif est ombré.

7 Afin d'obtenir un effet stylisé, déposez sans plus tarder les autres couleurs. Quand vous avez fini, laissez bien sécher, puis passez une couche de vernis acrylique.

8 En respectant scrupuleusement les indications du fabricant, enduisez ensuite d'un médium à craqueler à base d'eau.

9 Laissez sécher avant de passer la couche de finition. Les craquelures peuvent être fines ou larges. Nous avons opté pour ces dernières. Laissez sécher toute la nuit.

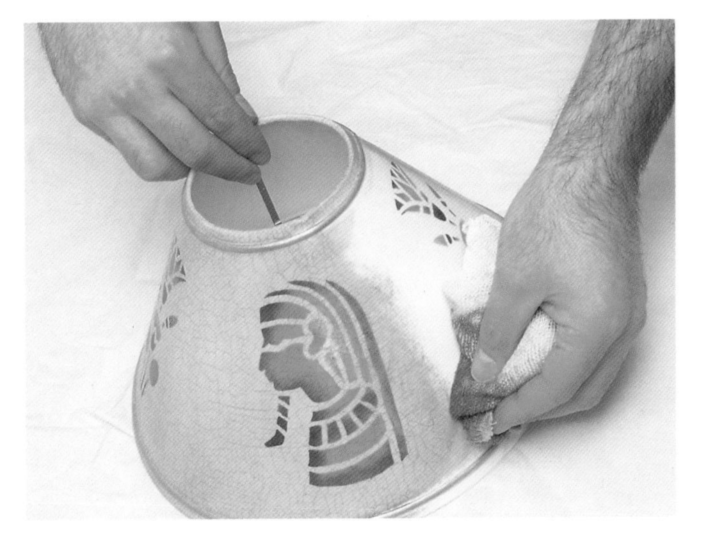

10 Rehaussez la surface craquelée avec de la peinture à l'huile pour artistes. Enlevez la peinture en excès au moyen d'un chiffon doux imbibé d'essence minérale et protégez avec une couche de vernis acrylique. L'effet patiné de l'ensemble est saisissant !

Cadre galonné

Les cadres modernes, de facture simple, peuvent se transformer en authentiques miroirs de style avec quelques idées toutes simples et… un minimum d'efforts ! On peut par exemple utiliser du gesso pour créer de jolies décorations que l'on rehaussera de quelques dorures.

IL VOUS FAUT…

- du galon
- du papier de verre
- de la colle PVA
- de la cire pour meubles
- de la peinture à l'huile pour artistes
- un chiffon doux
- de l'essence minérale

1 Découpez le galon, qui peut être une décoration de gâteau, du papier décoratif, un napperon en dentelle ou des moulages en plastique achetés tout faits, à la taille du cadre choisi.

2 Poncez légèrement le cadre au papier de verre puis collez le galon.

3 Mélangez un peu de cire avec un peu de peinture à l'huile et, quand la colle a séché, appliquez sur le cadre au moyen d'un chiffon doux. La peinture de couleur rouge s'accorde parfaitement avec la dorure.

4 Laissez durcir la cire, puis lustrez avec un chiffon doux propre. Si nécessaire, ôtez l'excédent de cire avec un chiffon imbibé d'essence minérale.

Éventail du temps *jadis*

Autrefois, aucune dame ne sortait sans son éventail. De nos jours, les demoiselles ne les agitent plus pour se rafraîchir ; ce sont des objets de décoration qui servent d'abat-jour ou ornent les murs. Ceux en dentelle ont pratiquement disparu, il est toutefois possible de retrouver l'esprit de l'époque en prenant pour pochoir un peu de dentelle moderne dont on reproduira l'image sur un éventail de papier.

IL VOUS FAUT...

- de l'adhésif de masquage
- du carton fort ou une planche de bois
- des ciseaux
- de la dentelle ou autre
- de la peinture en bombe

1 Dépliez l'éventail de papier et fixez-le avec l'adhésif sur du carton fort ou sur une planche de bois. Masquez toutes les zones que vous ne voulez pas peindre.

2 Découpez la dentelle aux dimensions de l'éventail, en comptant large. Appuyez-la fortement sur l'éventail, puis commencez à peindre en suivant les instructions du fabricant.

3 Passez plusieurs couches selon la profondeur de la couleur que vous souhaitez obtenir. Vous pouvez appliquer plusieurs couleurs. Soulevez la dentelle et laissez sécher.

4 Enlevez l'adhésif de masquage des parties à protéger et reformez doucement les plis de l'éventail.

Écritoire en cuir

Le cuir est un matériau largement employé car il est à la fois souple et résistant. Son travail demande des outils et un savoir-faire de spécialiste. Néanmoins, avec un matériel réduit, il est possible d'obtenir un résultat à la hauteur de ses aspirations. Cette écritoire en est une merveilleuse illustration.

IL VOUS FAUT...

- de la peinture latex en rouge et en vert foncé
- de la vaseline
- de la laine d'acier
- du vernis à base d'huile ou d'acrylique
- du carton
- une cuillère
- des ciseaux
- un crayon-feutre
- une chaîne lourde
- du cuir et un outil de repoussage
- une pointe à graver de pyrograveur ou un fer à souder
- un maillet
- de la teinture antique pour bois à base de solvant ou pour cuir
- un cutter
- de la cire incolore pour cuir
- un assortiment de pinceaux
- de la colle à base de latex

1 Appliquez une première couche de peinture latex vert foncé. Rehaussez les zones supposées usées avec de la peinture latex rouge.

2 Enduisez-les d'un peu de vaseline. Ne forcez pas la dose, car elles doivent paraître naturellement vieillies.

3 Appliquez une seconde couche de peinture latex vert foncé. Laissez sécher, puis frottez vigoureusement à la laine d'acier. Les zones enduites de vaseline ont un aspect patiné. Vernissez.

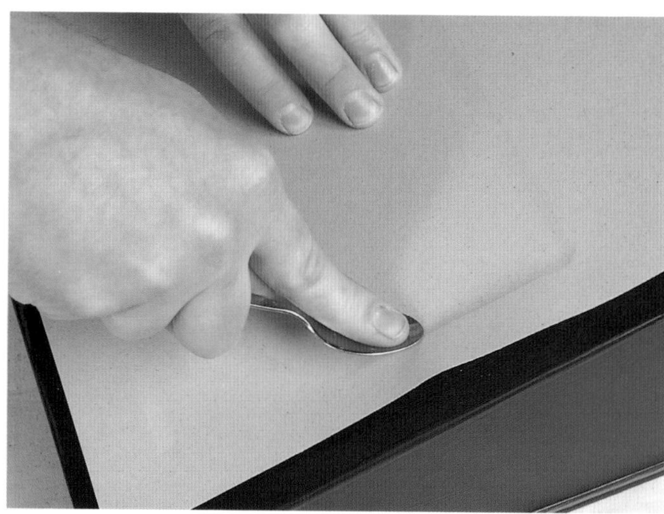

4 Placez un morceau de carton sur l'écritoire et réalisez un gabarit de la zone à recouvrir de cuir en vous aidant d'une cuillère. Une fois la forme souhaitée obtenue, découpez le gabarit.

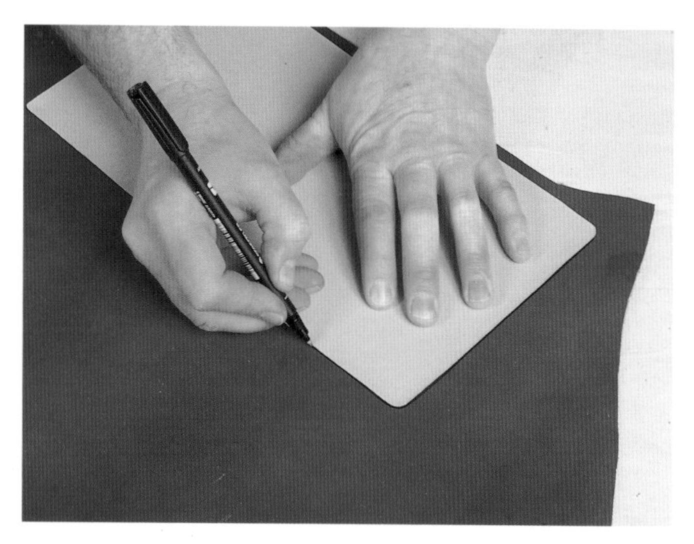

5 Servez-vous du gabarit et d'un feutre pour tracer la forme sur le cuir. Avec des ciseaux, découpez le cuir.

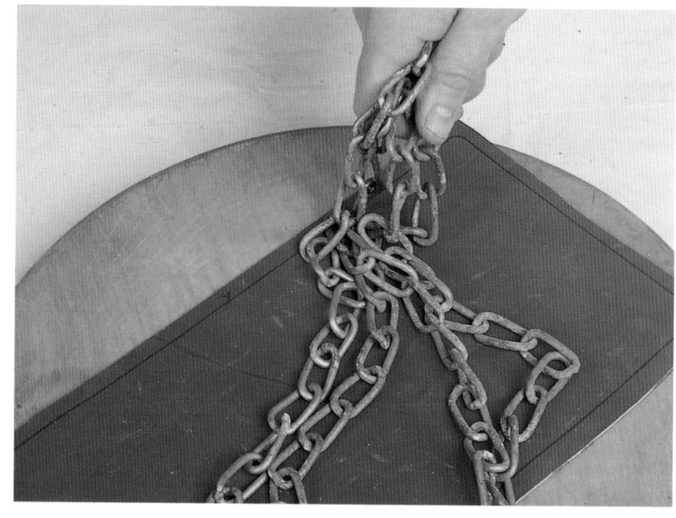

6 Pour donner au cuir une patine à l'aspect naturel, prenez une lourde chaîne et frappez-le. Protégez ce qui se trouve autour !

7 Servez-vous d'une pointe à graver ou d'un fer à souder pour tracer une ligne à égale distance des bords de la forme en cuir.

8 Avec un outil de repoussage et un maillet, décorez la forme en cuir. Travaillez sur un support solide.

9 Teintez le cuir en suivant scrupuleusement les indications du fabricant.

10 Pour finir, ajustez la forme en cuir en vous aidant d'un cutter. Cirez et collez.

SAVOIR IMITER L'ANCIEN

❖

LE PLÂTRE ET LA PIERRE

Le plâtre est un matériau d'une grande souplesse d'emploi. Si vous choisissez de créer vos propres modèles — il existe pour cela une multitude de moules qu'on peut acheter dans le commerce — laissez soigneusement sécher vos moulages avant de les peindre. Mais les marchands proposent également des produits finis de très bonne qualité. Quant à la pierre, c'est un matériau d'apparence immuable qui se bonifie lentement au cours des années : les ornements extérieurs en pierre, ceux de jardin par exemple, se couvrent de mousse et prennent une patine qu'on peut imiter rapidement et à peu de frais.

Chérubin poudré *d'or*

Les magasins d'artisanat proposent un grand choix de poudres métalliques et de pigments de couleur pour la préparation des peintures. On peut les mélanger et les appliquer sur pratiquement n'importe quelle surface avec un résultat satisfaisant. Ainsi, vous pouvez modeler vous-même de petits éléments en plâtre ou les acheter tout prêts, comme ce chérubin, et les recouvrir de poudre d'or. Attention cependant, les poudres très fines, surtout métalliques, sont nocives à inhaler !

IL VOUS FAUT...

- un apprêt à l'oxyde rouge
- des pinceaux
- de la colle PVA
- de la poudre métallique dorée
- de la laine d'acier
- du vernis à base d'huile

1 Si vous modelez vous-même le chérubin, attendez au moins une semaine avant de passer la première sous-couche d'apprêt. Pour un meilleur fini, passez une seconde couche.

2 Laissez sécher puis appliquez une fine couche de colle avec un petit pinceau. Veillez à ne pas trop remplir les creux.

3 De la pointe d'un pinceau moyen, prenez un peu de poudre d'or et secouez au-dessus du chérubin encollé. Dorez-le entièrement.

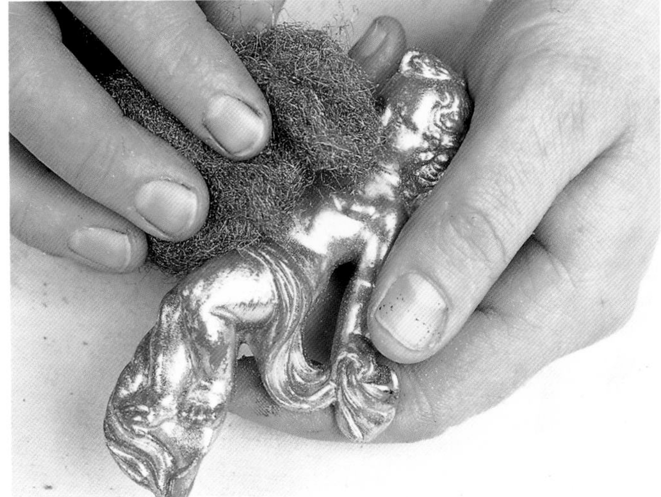

4 Laissez-le sécher puis brossez-le doucement. Frottez-le ensuite avec une laine d'acier fine de façon à révéler par endroits la sous-couche rouge. Vernissez.

Buste en plâtre *marbré*

De tout temps, le marbre a été objet d'admiration. Ses couleurs et son style se déclinent à l'infini, car de nombreux facteurs interviennent dans l'aspect de la texture, du motif et des défauts de cette pierre qui s'est formée au cours des âges géologiques. Lorsqu'on cherche à imiter le marbre, il est préférable de se reporter à un modèle, par exemple une photographie ou un échantillon. Qui pourrait dire que cette sculpture de marbre gris est un plâtre récent ?

IL VOUS FAUT...

- du papier de verre
- de la peinture glycérophtalique claire
- au moins deux glacis teintés
- un assortiment de pinceaux
- un sac en plastique
- des chiffons doux
- une brosse pour pochoir
- de l'essence minérale
- un pinceau fin ou une plume
- un blaireau (queue à estomper)
- un vernis à base d'huile

1 Poncez les aspérités du plâtre, puis appliquez au moins trois couches de peinture glycérophtalique crème clair.

2 Avec un pinceau à décorer ordinaire, passez grossièrement deux couches de glacis préteinté. Utilisez indifféremment un glacis à l'huile ou à l'eau.

3 Froissez le sac plastique et utilisez-le pour mélanger les deux glacis. Concentrez-vous d'abord sur une couleur puis peu à peu mélangez-les ensemble. Séchez de temps en temps le plastique sur un chiffon afin de contrôler le ton.

4 Pour aller dans les coins, servez-vous d'une brosse pour pochoir. Sous vos yeux, le buste se pare peu à peu de nuances subtiles.

5 Mélangez la peinture à l'huile et l'essence minérale. Puis, à l'aide d'un pinceau fin ou d'une plume, peignez délicatement les veines de la matière (les veines se ramifient et disparaissent mais ne se touchent jamais).

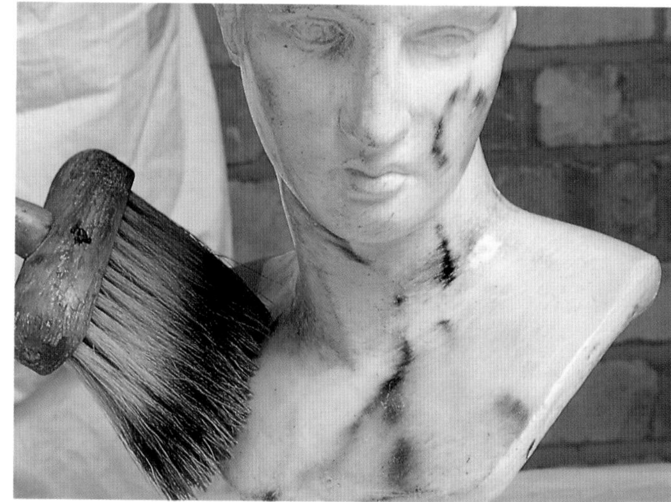

6 Estompez les veinures ainsi que le fond avec un blaireau que vous maniez souplement d'avant en arrière, d'abord dans le sens des veines puis perpendiculairement.

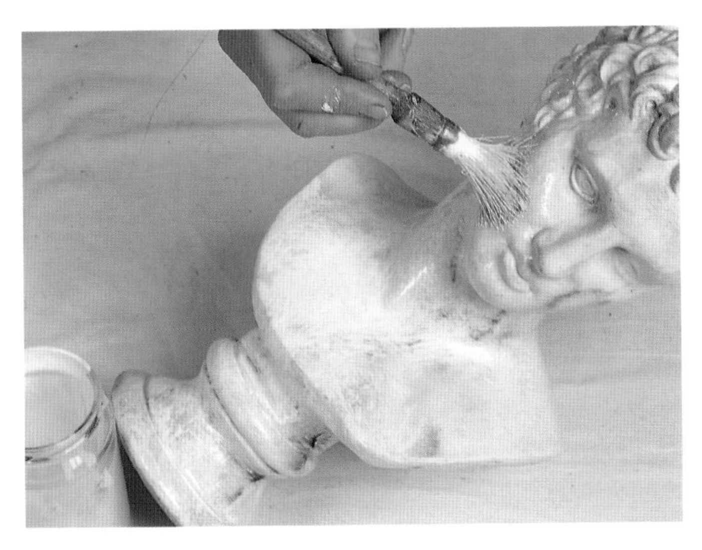

7 Quand le résultat vous plaît, laissez sécher. Ajoutez alors quelques couches de glacis pour intensifier la couleur et créer un effet naturel proche de l'aspect du marbre.

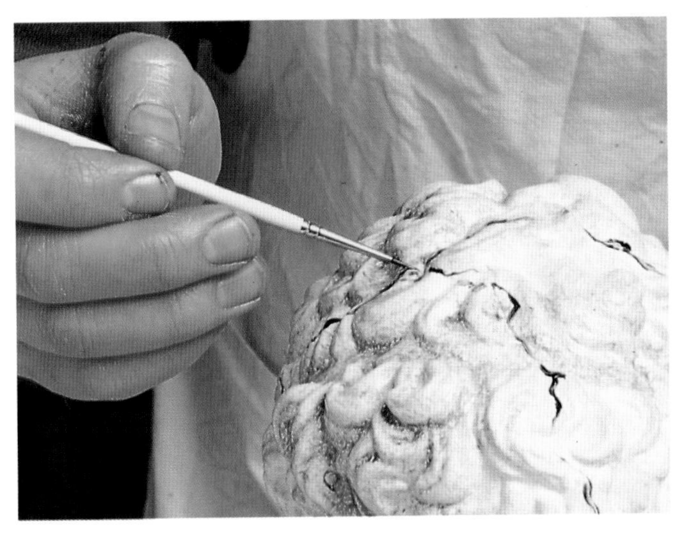

8 Répétez le processus de veinure avec un pinceau fin ou une plume pour les détails. La technique consistant à appliquer la peinture en plusieurs couches convient parfaitement au rendu du marbre.

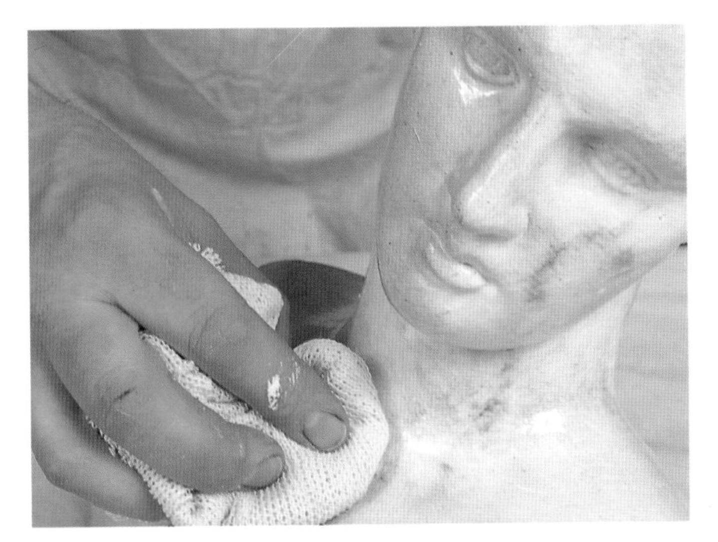

9 Afin de donner du relief au buste, complétez par des couches de glacis que vous tamponnez au chiffon.

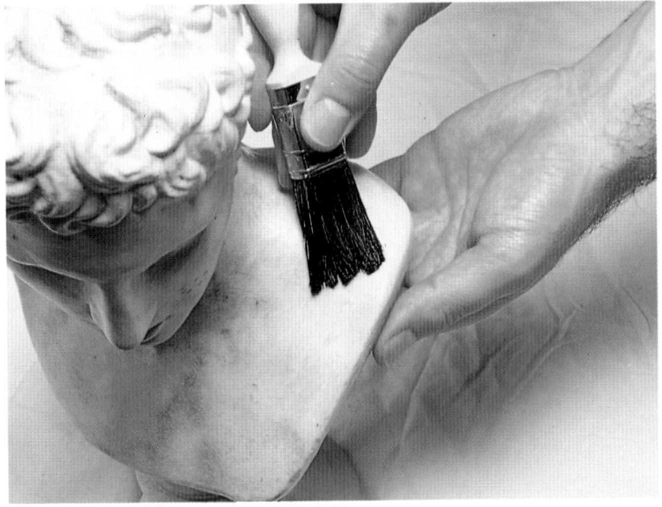

10 Une fois la surface bien sèche, vernissez-la.

Faux ivoire et faux ébène

Dans le passé, l'ivoire et l'ébène étaient les matériaux décoratifs par excellence. Ils servaient par exemple à fabriquer les touches des pianos ou les échiquiers. De nos jours, pour des raisons économiques mais aussi écologiques, leur utilisation est strictement limitée. On peut néanmoins en créer de très bonnes imitations sans craindre pour son porte-monnaie ou l'environnement. Cet échiquier en plâtre a été acheté tout prêt mais il est possible de le faire soi-même en achetant le moule.

IL VOUS FAUT...

- de la peinture glycérophtalique marron foncé et en crème clair
- un assortiment de pinceaux
- un glacis noir et un glacis marron foncé
- un chiffon doux
- du vernis acrylique ou de la cire pour meubles

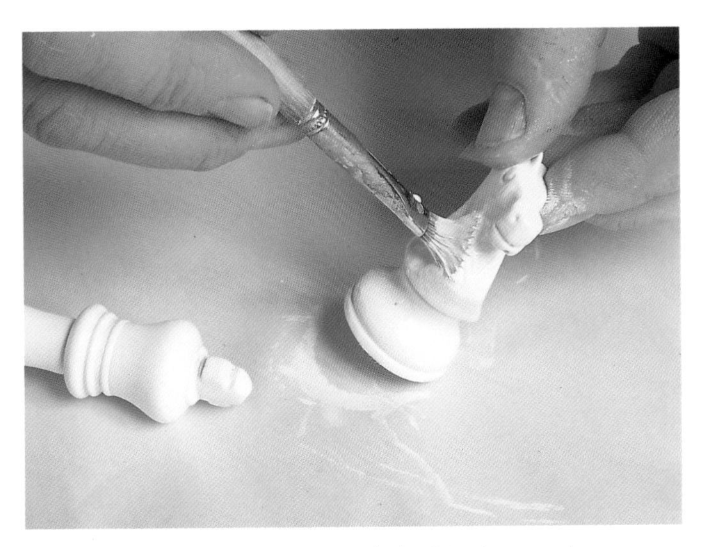

1 Peignez la moitié des pièces de l'échiquier avec la peinture glycérophtalique crème clair. Renouvelez une fois, voire deux fois, l'opération.

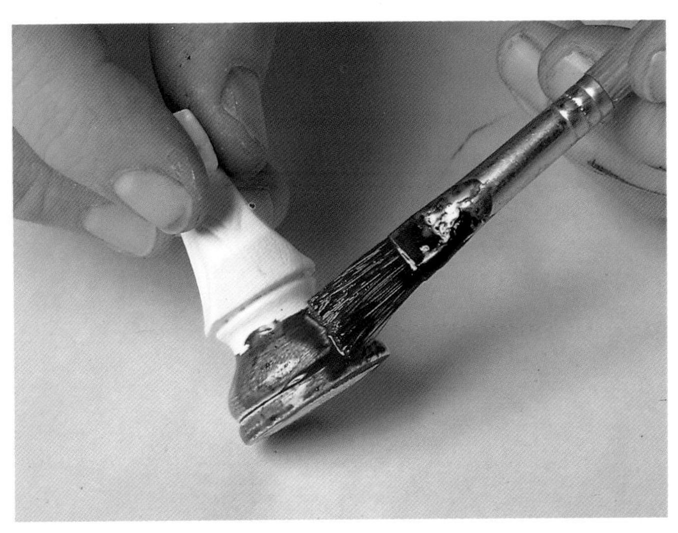

2 Servez-vous de la peinture glycérophtalique marron foncé pour les pièces en faux ébène. Contrairement à ce que l'on croit, la couleur ébène n'est pas noire : c'est un mélange subtil de tons marron foncé et noir.

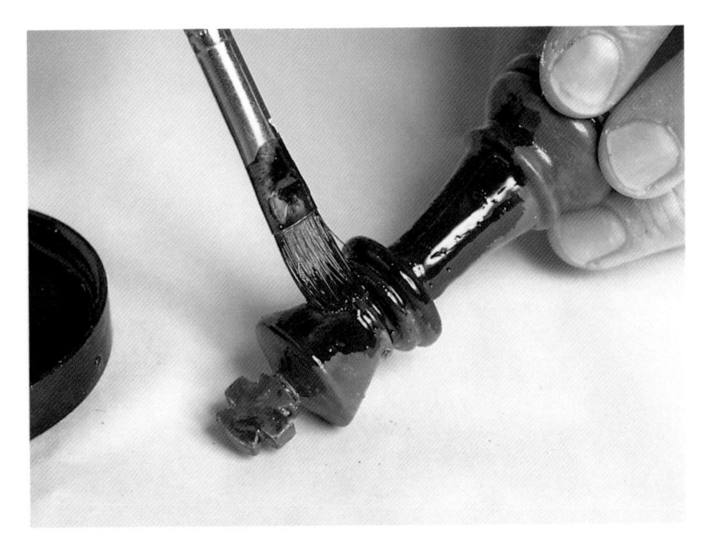

3 Quand la première couche est sèche, recouvrez-la d'un glacis noir. Le glacis séchant lentement, peignez toutes les pièces avant de poursuivre.

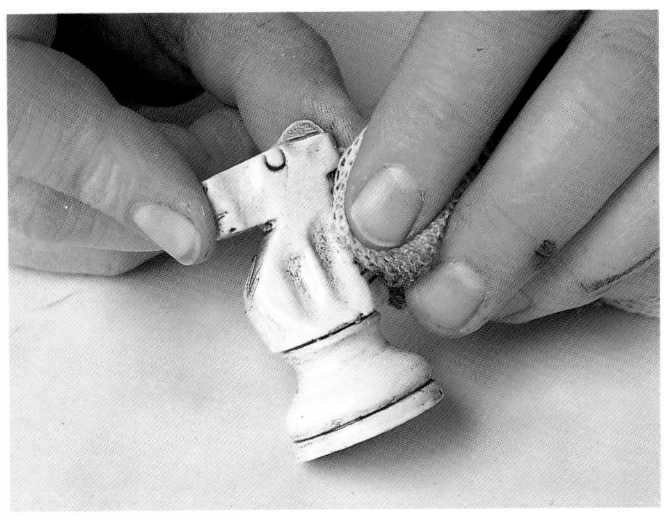

4 Tamponnez ensuite la surface des pièces avec un chiffon doux : essuyez ainsi les reliefs sans toucher aux parties creuses. Quand le glacis est sec, vernissez ou cirez.

Auge en ciment *moussue*

Tout jardin digne de ce nom se doit de posséder quelques poteries disséminées au milieu des fleurs. Elles servent à rehausser la beauté du végétal, leur patine mettant en valeur le vert de la nature. Mais, comme le processus d'érosion de la pierre ou de la terre cuite est très lent, nous vous proposons… de tricher un peu. Avec une dose de savoir-faire, il ne faut pas plus de trois semaines pour que cette auge moderne en béton, peu coûteuse, semble faire partie de la famille depuis des générations !

IL VOUS FAUT…

- une brosse métallique
- un pinceau
- un yaourt nature
- de la gaze

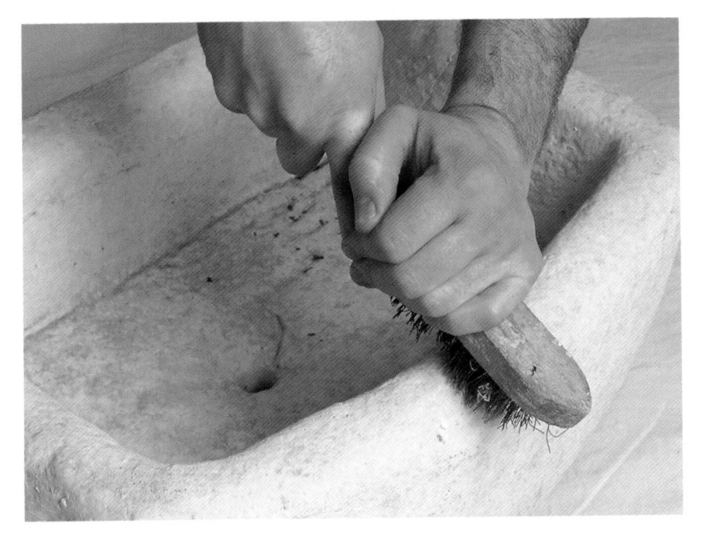

1 Nettoyez d'abord soigneusement l'auge en la frottant à la brosse métallique.

2 Enduisez-la ensuite d'une généreuse couche de yaourt nature ou enterrez-la dans un tas de compost qui fermente.

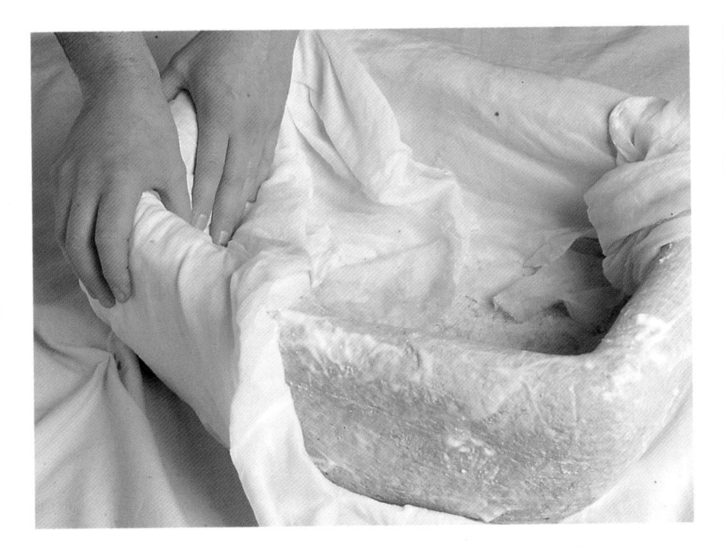

3 Cette technique exige un certain degré d'humidité et une bonne aération : pour remplir ces conditions, il suffit d'envelopper l'auge dans un morceau de gaze humide et de la placer à bonne température (pas trop chaud cependant). Maintenez la gaze humide.

4 Au bout de trois semaines, vous constaterez que de la mousse apparaît. Elle va rapidement couvrir toute l'auge.

SAVOIR IMITER L'ANCIEN

❖

LE VERRE ET LA CÉRAMIQUE

Comme il est généralement difficile de changer le verre lui-même, nous allons jouer sur sa transparence pour l'embellir de peintures, de gravures et de découpages du meilleur effet. Même le miroir que vous venez d'acheter se prendra pour une antiquité. Lors de la fabrication, les surfaces en céramique sont habituellement décorées de glacis et cuites à haute température, ce qui les rend dures et inaltérables. Pourtant il n'est nul besoin, aujourd'hui, d'un four spécial coûteux : il existe des peintures à froid et des résines en bombe qui donne à l'objet décoré l'aspect de la céramique.

Miroir piqué

Les miroirs sont constitués d'une plaque de verre dont un côté a été poli et métallisé (avec de l'argent, de l'étain ou de l'aluminium). Cette couche de métal qui réfléchit les rayons lumineux n'est protégée que par une fine couche de peinture, très vulnérable. C'est pourquoi les vieux miroirs sont souvent abîmés ; ils perdent leur éclat et sont tachés. Voici comment faire d'une glace flambant neuf un vieux miroir piqué...

IL VOUS FAUT...

- du décapant pour peinture
- un pinceau
- de la laine d'acier
- de l'essence minérale
- de l'hématite ou toute autre solution pour patiner le métal
- un vaporisateur
- de la peinture noire en bombe

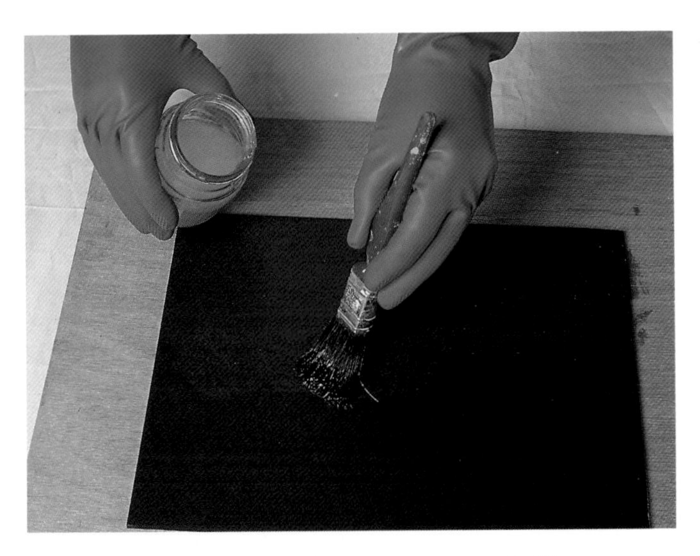

1 Posez délicatement la glace neuve, côté métallisé vers vous, sur une surface protégée et appliquez au pinceau une couche de décapant. La surface va se boursoufler. Répétez l'opération si nécessaire.

2 Une fois que la couche métallique frise et se soulève, frottez-la doucement avec la laine d'acier. Procédez selon un mouvement circulaire ; changez la laine d'acier si nécessaire.

3 Nettoyez la surface avec un peu d'essence minérale. Nettoyez également la laine d'acier. Laissez sécher, puis vaporisez l'hématite, ou toute autre solution pour patiner le métal, en fine couche.

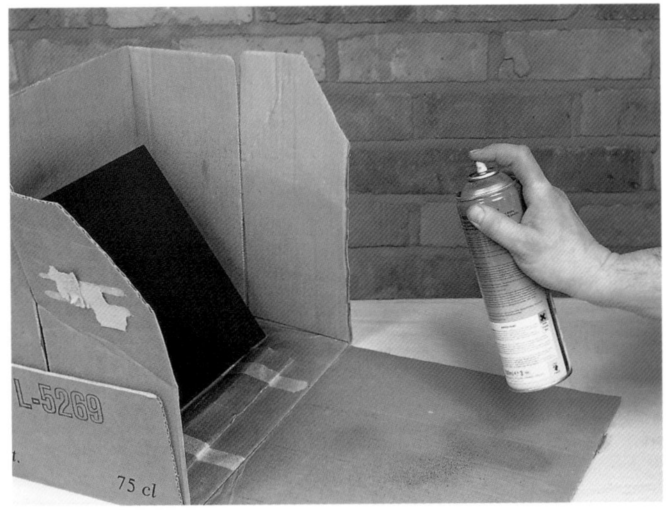

4 Les solutions pour patiner le métal agissent très rapidement : rincez-les avant qu'elles ne décolorent la surface traitée. Quand la glace est sèche, vaporisez (ou appliquez au pinceau) la peinture à base d'huile d'un noir mat.

Abat-jour de verre *décoré* au pochoir

Les objets en verre et en céramique peuvent être décorés au moyen de pochoirs faits main ou achetés tout prêts, que l'on peint avec des couleurs pour céramique à froid. Le choix est vaste et les résultats toujours satisfaisants. Cet abat-jour en verre arbore ainsi un petit air du passé des plus charmants.

IL VOUS FAUT...

- un pochoir
- du papier
- un film pour pochoir
- un crayon-feutre à pointe fine indélébile
- des ciseaux
- une plaque de verre
- une pointe à graver de pyrograveur ou un cutter
- de la colle en bombe
- de l'adhésif de masquage
- de la peinture céramique à froid
- une brosse pour pochoir

1 Tracez le gabarit sur le papier en faisant rouler l'abat-jour et en indiquant les bords supérieur et inférieur. Servez-vous de ce gabarit en papier pour tracer le gabarit sur le film avec un crayon-feutre. Découpez-le avec des ciseaux.

2 Placez le motif choisi sous une plaque de verre et alignez le gabarit du pochoir. Pour le dessiner et le découper, utilisez maintenant une pointe à graver ou un cutter. Fixez le pochoir sur l'abat-jour en vaporisant de la colle en bombe ; maintenez les extrémités avec de l'adhésif de masquage.

3 Chargez la brosse à pochoir d'une petite quantité de peinture céramique à froid et appliquez la couleur d'un mouvement circulaire ou en tamponnant.

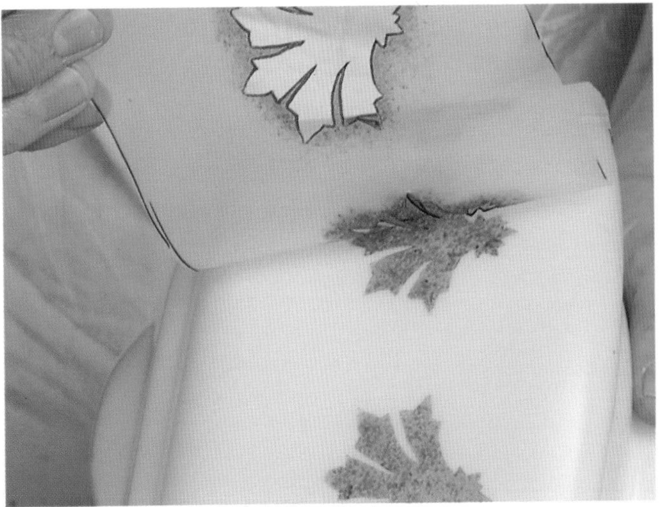

4 Laissez sécher au moins 3 heures, puis soulevez lentement le pochoir et laissez sécher l'abat-jour toute une nuit.

Vitrine décorée *de papiers de soie*

La décoration du verre avec de la peinture à froid exige beaucoup de doigté. Ce savoir-faire, inégalable car il permet de jouer avec la transparence du matériau, peut cependant être remplacé par une technique plus facile qui consiste à découper de jolis motifs dans des papiers de soie et à les coller. C'est ce que nous avons fait ici sur cette vitrine, qui retrouve ainsi un certain cachet.

IL VOUS FAUT...

- des bouts de papier de soie décoré
- des ciseaux pointus
- de la colle en bombe
- du vernis mat et un pinceau

1 Dégondez les portes pour travailler à l'aise. Nettoyez le verre et essuyez-le bien.

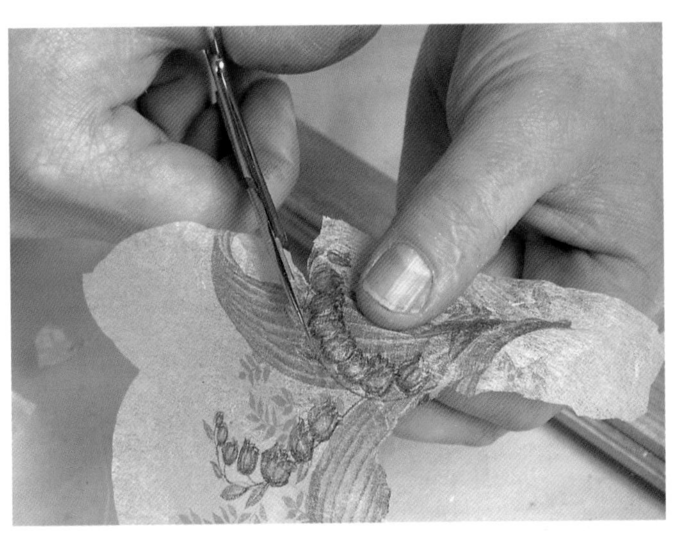

2 Avec des ciseaux pointus, découpez des motifs dans des papiers de soie. Ne choisissez pas des dessins trop compliqués, car le papier de soie ne se prête pas toujours de bonne grâce aux découpages !

3 Positionnez les motifs sur le verre et fixez-les avec de la colle en bombe en vous reportant aux indications du fabricant.

4 Chassez les éventuelles bulles d'air. Si nécessaire, soulevez le papier et repositionnez-le. Pour finir, appliquez plusieurs couches de vernis mat.

Mrs Brown's
VINEGAR
Malt Distilled
1 qrt.

Bouteille du temps *passé*

❖

Les cuisines d'autrefois renfermaient toutes sortes de bocaux, bouteilles et conserves contenant des recettes faites maison. Ils étaient étiquetés à la main avec soin. Cette bouteille de verre a été, comme dans le passé, gravée et habillée d'une étiquette à l'ancienne. Grâce à un simple pochoir, on peut imiter la gravure à l'eau-forte.

IL VOUS FAUT...

- un pochoir
- de la colle en bombe
- de l'adhésif de masquage
- de la peinture pour pochoir à base d'huile
- une brosse pour pochoir
- une palette de peintre ou une vieille assiette
- un modèle ancien d'étiquette
- des ciseaux
- de la teinture pour bois couleur chêne foncé à base de solvant

1 Nettoyez le verre et fixez le pochoir avec de la colle en bombe. Maintenez les coins avec de l'adhésif de masquage. Chargez légèrement une brosse pour pochoir de peinture en travaillant la couleur sur la palette ou dans la vieille assiette, puis tamponnez-la doucement sur le pochoir.

2 Créez votre propre étiquette en vous inspirant d'un modèle ancien : pour cela, découpez plusieurs motifs, combinez-les et collez-les sur un papier dont vous faites des photocopies. Passez un peu de teinture sur l'étiquette pour la vieillir. Laissez sécher et collez sur la bouteille.

Pied de lampe à effet *craquelé*

Les craquelures s'obtiennent de diverses façons. Le médium craqueleur en bombe que nous vous proposons d'employer ici se trouve aisément dans le commerce, son utilisation est facile et son effet saisissant. Toute surface émaillée, neuve et simple ou ancienne et abîmée, arborera ainsi une finition digne des patines d'antan.

❖

IL VOUS FAUT...

une boîte en carton
un médium craqueleur en bombe
de la peinture acrylique
un pinceau
du vernis à base d'huile ou d'acrylique

1 Placez le pied de lampe à l'intérieur du carton, dont vous aurez découpé le haut et le bas, afin de pouvoir vaporiser du médium craqueleur sans déborder. Protégez quand même les alentours. Suivez les indications du fabricant et vaporisez uniformément.

2 Appliquez une seconde couche après avoir respecté le délai du fabricant. Vaporisez de façon régulière.

3 Les craquelures apparaissent immédiatement. Elles se développent à mesure que la couche supérieure sèche. La nature et le style des craquelures dépend de l'uniformité et de l'épaisseur des couches.

4 Laissez parfaitement sécher, puis décorez avec un pinceau et de la peinture ou des pochoirs. Passez un vernis protecteur.

Carreau de céramique *et tampon*

Les surfaces en céramique sont souvent décorées d'émaux qui ont été fondus et cuits dans un four à très haute température. Cette technique n'est pas à la portée de l'amateur, mais elle peut être avantageusement remplacée par des peintures à céramique pour décorer à froid. Ce dessous-de-plat décoré au tampon arbore ainsi un air des plus accueillants.

IL VOUS FAUT...

- de la peinture à céramique pour décorer à froid
- un tampon en caoutchouc
- un assortiment de pinceaux
- une éponge
- de l'essence minérale

1 À l'aide d'une éponge ou d'un pinceau, déposez une petite quantité de peinture sur le tampon en caoutchouc, puis appuyez celui-ci sur la surface de céramique : pour éviter les bavures, la pression doit être égale et régulière.

2 Soulevez délicatement le tampon pour faire apparaître le motif. Dessinez au pinceau fin les bordures. La peinture à céramique demande environ une semaine pour durcir. Laissez parfaitement sécher avant d'insérer le dessous-de-plat dans son cadre de bois et de l'utiliser.

SAVOIR IMITER L'ANCIEN

❖

LE PLASTIQUE

Le plastique est un matériau d'emploi souple dont les utilisations actuelles sont nombreuses et variées. Quelle que soit la forme convoitée, on peut en faire un moulage en plastique : les transformations sont alors infinies et l'on peut donner l'apparence de l'ancien à l'objet le plus ordinaire.

Cadre de miroir *vert-de-grisé*

La plupart des métaux qui contiennent du cuivre se corrodent en prenant une teinte verdâtre caractéristique : le vert-de-gris. Il est possible d'imiter cette patine naturelle au moyen de peintures et de vernis. C'est ainsi qu'on a pu transformer ce cadre en plastique doré, qui s'écaillait et avait triste mine, en un ornement des plus romantiques.

IL VOUS FAUT...

- un assortiment de peintures à base d'eau
- une palette de peintre ou une vieille assiette
- un glacis acrylique
- un pochoir
- des pinceaux
- un chiffon doux
- du vernis mat (en option)

1 Avant de commencer à peindre, teintez le glacis transparent. Pour les objets dont la reproduction n'exige pas une couleur exacte, travaillez les peintures, les glacis et les solvants directement sur la palette ou dans une vieille assiette.

2 Avec une brosse pour pochoir ou une petite brosse semblable, mélangez le glacis et la peinture, puis appliquez sur la surface ornée. Changez de brosse à chaque nouvelle couleur. Faites se chevaucher les couleurs.

3 Quand toute la surface est peinte, essuyez le cadre avec un chiffon doux : exercez une pression inégale selon les endroits et estompez les couleurs de façon qu'il n'y ait pas de limites trop marquées. Quand la sous-couche est sèche, glacez davantage.

4 La surface finie est relativement résistante. Vous pouvez néanmoins lui appliquer un vernis protecteur, mat par exemple, pour une patine plus authentique.

Bol en plastique *laqué*

❖

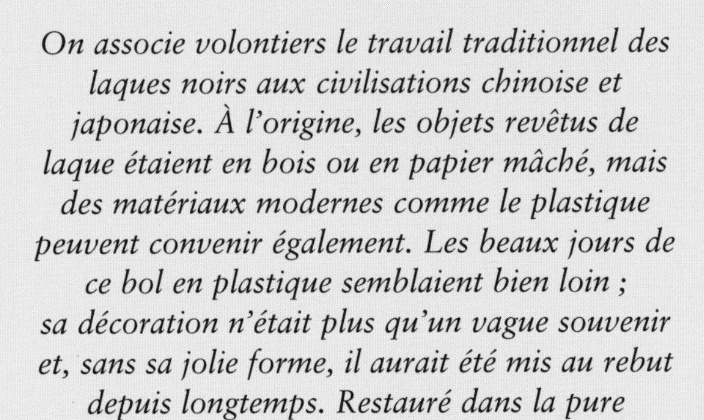

On associe volontiers le travail traditionnel des laques noirs aux civilisations chinoise et japonaise. À l'origine, les objets revêtus de laque étaient en bois ou en papier mâché, mais des matériaux modernes comme le plastique peuvent convenir également. Les beaux jours de ce bol en plastique semblaient bien loin ; sa décoration n'était plus qu'un vague souvenir et, sans sa jolie forme, il aurait été mis au rebut depuis longtemps. Restauré dans la pure tradition japonaise, des carpes dorées ornent son fond ; il imite à merveille un laque ancien.

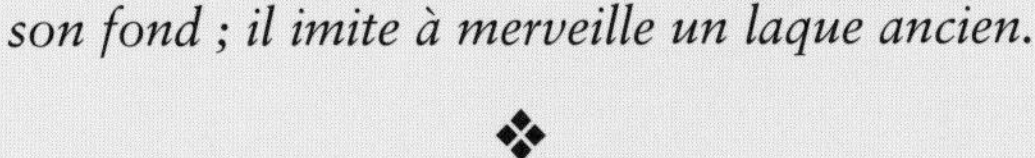

❖

IL VOUS FAUT...

- du papier de verre fin
- de la peinture d'un noir mat en bombe
- une boîte en carton
- un pochoir
- de la colle en bombe
- de l'adhésif de masquage
- des peintures pour pochoir à base d'eau en rouge et en or
- des brosses pour pochoir
- de la pâte à dorer
- un chiffon doux
- un crayon-feutre or
- du vernis en bombe à base d'huile ou du vernis satiné

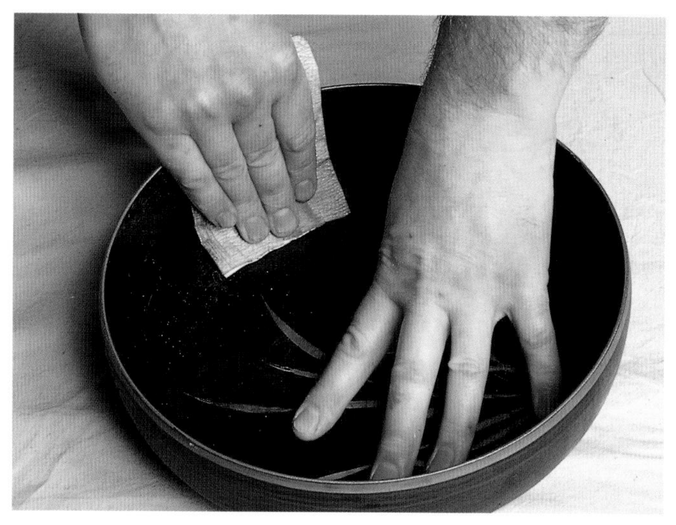

1 Poncez minutieusement le fond du bol au papier de verre. Il s'agit d'enlever toute trace ancienne de texture ou de décoration pour préparer la base à recevoir la peinture.

2 Placez le bol dans un carton découpé comme illustré afin de peindre proprement. Suivez les indications du fabricant pour obtenir un rendu satisfaisant.

3 Ici, le pochoir a été réalisé à la main et s'inspire d'un dessin authentique mais on trouve des pochoirs tout prêts dans le commerce. Utilisez de la colle en bombe ou de l'adhésif de masquage pour maintenir le pochoir à sa place.

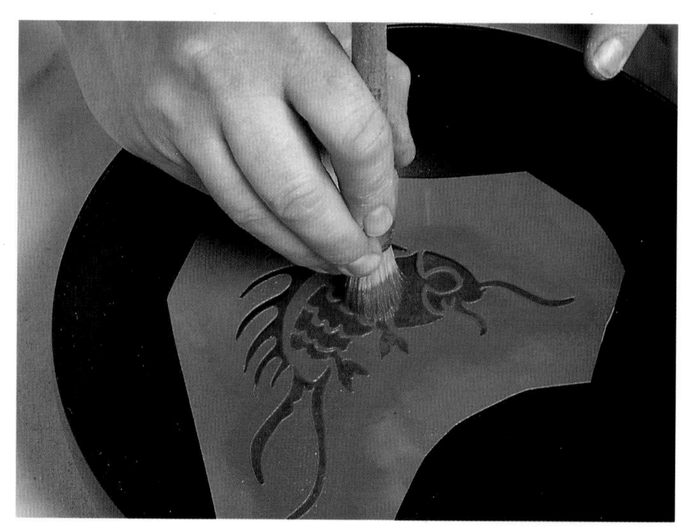

4 Chargez la brosse d'un peu de peinture rouge cramoisi que vous faites bien pénétrer dans les poils et peignez le motif en effectuant des mouvements circulaires.

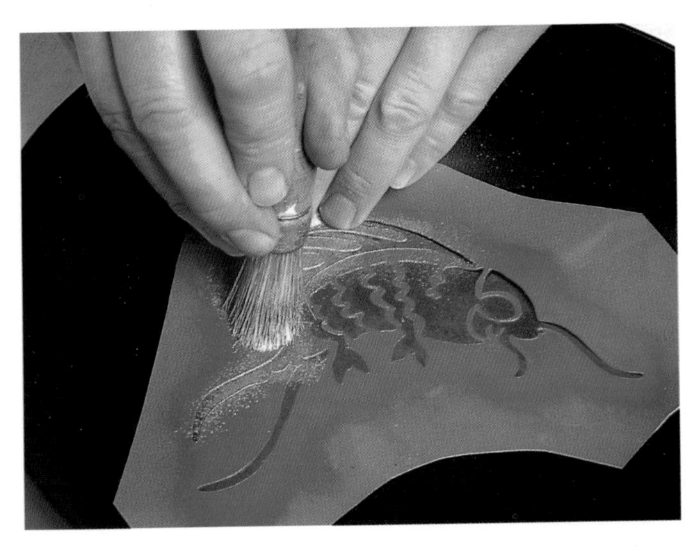

5 Pour contraster avec le rouge, utilisez maintenant de la couleur or. Vous pouvez peindre sans attendre, mais si vous n'avez qu'une brosse, lavez-la soigneusement et séchez-la parfaitement avant d'appliquer la peinture.

6 Enlevez immédiatement le pochoir, puis collez de l'adhésif de masquage tout autour du bord supérieur du bol de façon à laisser une bande que vous peindrez en rouge cramoisi. Tamponnez la peinture avec la brosse : l'effet attractif en sera renforcé.

7 Pour finir, enduisez le pourtour du bol de pâte dorée avec un chiffon doux ou un pinceau sec.

8 Rehaussez les motifs et les détails d'un peu d'or appliqué au pinceau ou au crayon-feutre doré. Protégez le bol en vaporisant du vernis.

Urne en plastique *vieilli*

Les ornements de jardin en plastique possèdent quelques avantages non négligeables sur les terres cuites traditionnelles ou les éléments en pierre : ils résistent au gel, sont plus ou moins incassables et généralement moins coûteux. Toutefois, malgré de gros progrès ces dernières années, ils ne peuvent cacher leur nature plastique et leur patine n'atteint pas la perfection des matériaux naturels. Voici un tour de main qui peut changer les choses !

IL VOUS FAUT...

- du papier de verre ou une lame aiguisée
- de la colle PVA
- des pinceaux
- des grains de sable sec de diverses grosseurs

1 À cause de leur procédé de fabrication, les joints et les bords des produits en plastique moulé restent souvent trop apparents. Avec une lame aiguisée ou du papier de verre, faites-les disparaître.

2 Encollez ensuite toute la surface de l'urne. Si nécessaire, laissez sécher la colle puis appliquez une seconde couche.

3 Déposez par-dessus une couche de sable argenté à grains fins. Couvrez bien toutes les faces. Laissez sécher avant de passer un coup de brosse.

4 Pour un fini plus grossier, encollez à nouveau la surface et déposez une couche de sable à grains plus gros. Laissez sécher. Telle quelle, l'urne est étanche, mais vous pouvez lui donner une usure naturelle en suivant la technique proposée pages 90-91.

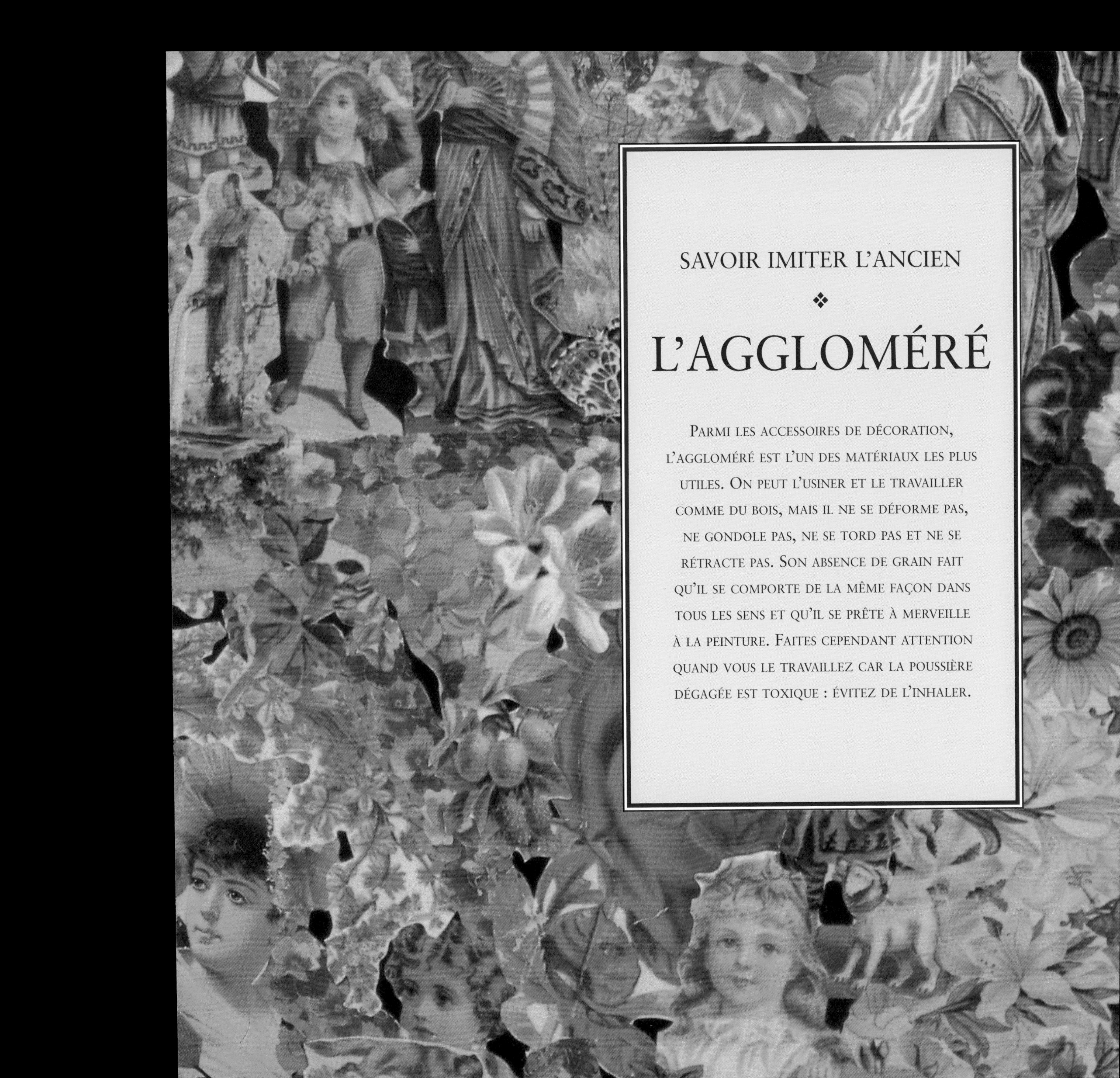

SAVOIR IMITER L'ANCIEN

❖

L'AGGLOMÉRÉ

Parmi les accessoires de décoration, l'aggloméré est l'un des matériaux les plus utiles. On peut l'usiner et le travailler comme du bois, mais il ne se déforme pas, ne gondole pas, ne se tord pas et ne se rétracte pas. Son absence de grain fait qu'il se comporte de la même façon dans tous les sens et qu'il se prête à merveille à la peinture. Faites cependant attention quand vous le travaillez car la poussière dégagée est toxique : évitez de l'inhaler.

Porte-parapluies en écaille

Matière tirée de la carapace des tortues, l'écaille était très prisée à la fin du dix-neuvième siècle. Elle servait à décorer toutes sortes d'objets d'usage courant. Nous vous proposons d'en imiter la texture avec simplement quelques peintures et vernis. Des meubles plus imposants peuvent subir le même traitement. Ici nous avons opté pour un rouge vif mais un jaune intense conviendrait également.

IL VOUS FAUT…

- du papier de verre
- de la peinture glycérophtalique noire et rouge pavot vif
- des pinceaux
- du vernis chêne foncé
- de la peinture à l'huile pour artistes en terre d'ombre brûlée et en noir
- un blaireau

1 Poncez et nettoyez le porte-parapluies en aggloméré, puis appliquez-lui une couche de peinture glycérophtalique rouge pavot vif. Laissez sécher et renouvelez l'opération jusqu'à obtention du rendu souhaité. Passez une couche de vernis teinté chêne foncé.

2 Alors que le vernis est encore frais, tracez des points réguliers à la peinture à l'huile noire. Par-dessus chaque point, dessinez un V ou une tache plus sombre en terre d'ombre brûlée.

3 Au moyen d'un blaireau, estompez les couleurs d'abord horizontalement puis verticalement.

4 Laissez sécher. Poncez ensuite si nécessaire, et appliquez plusieurs couches de vernis teinté. Pour finir, rehaussez les moulures avec de la peinture glycérophtalique noire.

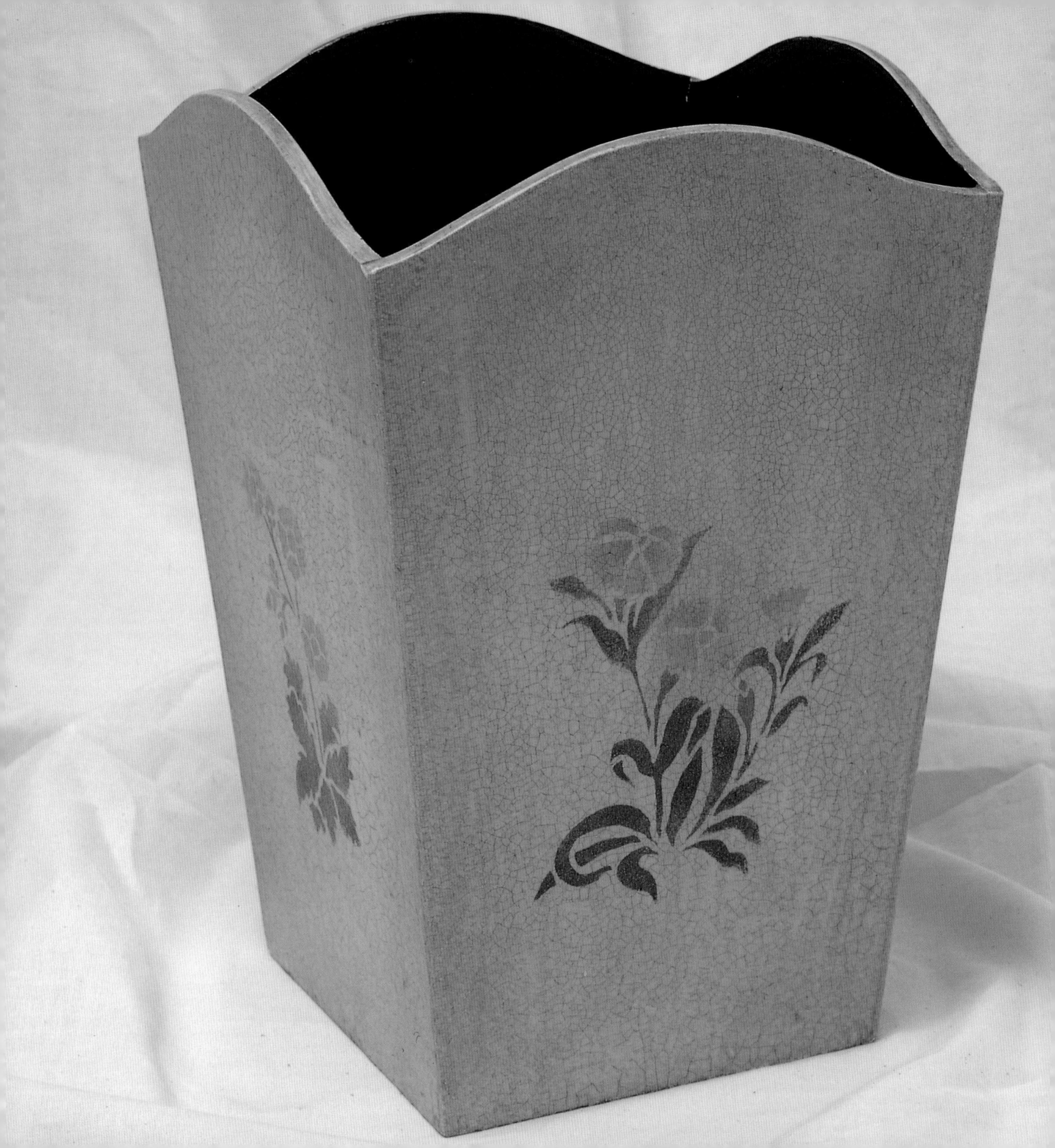

Corbeille à papier *en vernis craquelé*

Grâce à la technique du glacis, cette corbeille à papier en aggloméré semble dater du siècle dernier. La patine et les craquelures, caractéristiques des vieux vernis et des laques anciennes, peuvent être imitées avec bonheur… en un rien de temps !

IL VOUS FAUT…

- du papier de verre
- de la peinture glycérophtalique blanche
- des pinceaux
- du glacis transparent et du colorant
- une brosse pour pochoir
- de la peinture à l'huile pour artistes
- un chiffon doux
- un pochoir
- de la colle en bombe/de l'adhésif de masquage
- des peintures et des brosses pour pochoir
- du vernis à base d'huile ou d'acrylique
- du vernis à patiner à base d'huile et de la gomme arabique à base d'eau
- de l'essence minérale

1 Poncez la corbeille, dépoussiérez-la et passez une couche de peinture glycérophtalique blanche. Laissez sécher puis recommencez l'opération jusqu'à l'obtention du rendu désiré.

2 Teintez les glacis, mélangez-les et peignez. Procédez par petites quantités à la fois. Nous avons utilisé ici un glacis à l'huile transparent que nous avons coloré avec de la peinture à l'huile, mais un glacis acrylique convient également.

3 Tamponnez doucement chaque face de la corbeille au moyen d'une brosse tenue perpendiculairement, puis mélangez les couleurs en partant du bord et en allant vers le centre. Quand la brosse est trop chargée de peinture, frottez-la sur un chiffon sec.

4 Laissez parfaitement sécher avant de fixer le pochoir avec de la colle en bombe ou de l'adhésif de masquage. Déposez une petite quantité de peinture sur la brosse.

5 Commencez à peindre en effectuant des mouvements circulaires ou en tamponnant légèrement le pochoir. La peinture sèche presque instantanément, ce qui vous permet de contrôler la profondeur du coloris.

6 Cherchez à obtenir un subtil mélange des tons. Répétez le processus jusqu'à ce que toutes les faces de la corbeille aient reçu leur décoration. Laissez sécher avant de passer une couche de vernis à base d'huile ou d'acrylique.

7 Les craquelures tirent avantage des délais de séchage différents des vernis à base d'eau et à base d'huile. Sur la surface préalablement vernie, appliquez une couche uniforme de vernis à patiner à base d'huile. Laissez sécher.

8 Puis appliquez une couche de gomme arabique à base d'eau que vous laissez sécher. Pour des craquelures très marquées, accélérez le temps de séchage au moyen d'un sèche-cheveux. En se contractant sous l'effet de la chaleur, la couche supérieure se fendille.

9 Laissez bien sécher, puis rehausser les craquelures en les frottant avec de la peinture à l'huile. Nettoyez avec un chiffon doux légèrement imbibé d'essence minérale.

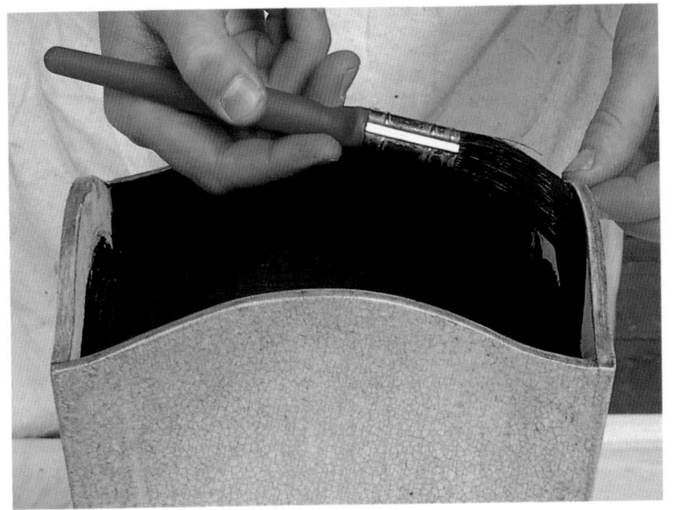

10 Laissez sécher avant de passer un vernis protecteur à base d'huile destiné à empêcher la gomme arabique de se ramollir. Pour finir, peignez l'intérieur de la corbeille avec un beau vert olive.

Écran de cheminée *et papiers* découpés

À l'époque victorienne, en Grande-Bretagne, l'art du découpage atteignit une immense popularité. On découpait avec assiduité toutes sortes d'images en papier et de photographies que l'on coloriait à la main et collait sur divers supports. Il fallait ensuite appliquer une multitude de couches de vernis afin d'obtenir cet éclat si particulier. Aujourd'hui, on trouve facilement des papiers découpés dans le commerce et il est aisé de créer une scène typique de cette époque révolue.

IL VOUS FAUT...

- de la peinture latex noire
- un pinceau
- des papiers à découper
- des ciseaux pointus
- de la colle PVA
- un cutter
- du vernis à base d'huile ou d'acrylique
- du papier de verre fin

1 Enduisez l'écran d'une couche de peinture latex noire. Comme les moulures seules seront apparentes, il est préférable de recouvrir toute la surface afin que la peinture ralentisse le temps de séchage de la colle.

2 Avec des ciseaux pointus, découpez les papiers choisis. Ils peuvent s'acheter tout prêts dans le commerce, mais vous pouvez aussi utiliser du papier d'emballage ou des photocopies.

3 Humidifiez légèrement le papier pour le détendre, puis collez-le sur le support. La colle PVA devient transparente en séchant. Vous pouvez l'appliquez au pinceau sur les papiers découpés. Continuez de décorer l'écran en faisant se chevaucher les images.

4 Laissez bien sécher avant de rogner les bords avec un cutter. Protégez votre découpage d'au moins trois couches de vernis. Poncez au papier de verre fin entre chaque couche.

INDEX

P

S

V

Crédit

L'auteur remercie son épouse dont les conseils lui ont été d'une grande utilité mais aussi l'équipe de *The Painted Finish* qui lui a apporté une aide importante et a offert toutes les fournitures nécessaires aux réalisations.
L'expérience de Ian Howes a également été particulièrement appréciée.